フーコー

Foucault

主体という夢
：生の権力

貫 成人＝著

装幀：菊地信義

「自由な主体」を問いなおす——まえがき

『ティファニーで朝食を』（一九六一年）という映画がある。トルーマン・カポーティ原作。若きオードリー・ヘップバーンが主演していることもあって今なお根強い人気をたもっている。

ヘップバーン演じる主人公は、自由に生きることを身上とする娘だ。だが、金持ちの男を捜し出しては結婚しようとしても失敗続き。なにか起こるたびに同じアパートに住む貧乏作家に助けられる始末だ。

映画の結末近く、娘は作家のプロポーズを断り、ひとりでブラジルに飛ぼうとする。その娘に向かって作家は次のように言って、彼女から去ってゆく。「君は檻《おり》に入るまいとして、自由であろうとしている。だけど、それは自分で自由という檻を勝手に作っているだけじゃないのか。その檻から君は絶対逃れることができない。なぜなら、それは君が自分で作った檻なんだから。君がどこへ逃げてもついて回る」

それを聞いた娘は、なにかを悟ったようにかれの後を追い、結局二人は結ばれる。いかにも六〇年代アメリカ映画らしいハッピーエンドだ。だが、この映画の結末には、フーコー（一九二六―一九八四）がおこなったことのすべてが凝縮している。

ヘップバーン演じる娘は、「自由」であることを至上命題とし、そのためには恋や愛を捨ててもいとわない。それは「主体的」に生きようという強い意志なのかもしれない。だが、そのために彼女は、得体の知れない金持ちをつぎつぎに誘惑して、すこしでも有利な結婚をしようとする。彼女の主体性はかならずしも自立しているわけではないのである。そして最後、彼女は「恋愛」「男女の関係」のために、それまでの生き方をかなぐり捨てる。映画のうえでは、それが「ハッピー」なのだ。作家志望の男と彼女は、やがて「結婚」して「家庭」を持つであろうからである。

「自由な主体」「結婚」「家庭」といったものは、この映画に見るとおり、それ自体「価値あるもの」と考えられているし、それを自ら実現しようと努力し、あるいはそれが自らに備わっているのが当然と考えるひとは少なくない。

一方、近代ヨーロッパにおいて「自由な主体」は、とうぜん「理性的」でもあった。「自由」とは、各自が自分の行動を他人によって決められるのではなく、自らの意志に基づいて決めることだが、えてしてそれは「欲望に身を任せた」放縦な行動に転じてしまう。そのような「自由の濫用」に陥らないために、ひとは自らの「理性」をはたらかせなければならないのである。

さらにまた、自由な理性的主体とは、「人間」として当然のあり方であるとも考えられる。「理性」をもたない動物とちがって、「ホモ・サピエンス（智恵のあるヒト）」である人間は、まさに「理性」を持つことによって、他にぬきんでた存在たりうる、というわけである。

「理性」「主体」「自由」「家庭」といったものは、それ自体として「価値」をもち、追求して当然のもの、侵すべからざるものと考えられ、感じられている。だが、それははたして「もともと」そのように価値あるものだったのだろうか、また、なぜそれぞれは価値あるものと感じられるのだろうか。

フーコーの問いはきわめてはっきりしている。〈理性〉〈真理〉〈人間〉〈生命〉〈主体〉といったものをわれわれは当然のこととして前提しているし、場合によってその存在を疑ったり、問題にしたりしただけで道徳的に非難される。だが、なぜこうしたものはそれほど価値あるものとされているのだろう。また、それは本当に価値があるものなのだろうか。

　そのことを明らかにするためにフーコーが扱うのは、たいてい中世末期から古典主義時代（一六世紀）以降のヨーロッパ社会や学問の歴史だ。それは、一見、歴史書のようにも見える。だが、そこで取り上げられるのは、学校制度や性意識といったわれわれにとってごく身近な事柄である。われわれがごく当たり前のように受け止めている事柄や制度も、その成り立ちの経緯や仕組みをよくよく検討してみると、思いもよらない仕掛けが潜んでいる。それはまた最近、問題になる「管理社会」「福祉国家」のはらむ問題にもつながってゆく。

　過去数百年におこっていたことを検討することによって、〈理性〉〈真理〉〈人間〉〈主体〉といった哲学的な事柄に関するなにがわかるというのだろう。

［目次］

第一章　理性の構築——『狂気の歴史』

「人間」は「理性的動物」と言われる。とりわけヨーロッパでは「理性」というものが日常的にも、哲学においてもきわめて重要視されていた。その「理性」は、いつどのようにして、またなぜそのように重要視されるにいたったのだろう。その経緯を明らかにしたのがフーコーの『狂気の歴史』である。

「理性」のことを論じるのに、なぜ「狂気」の歴史をタイトルにするのか不思議に思う方もいるだろう。その事情を明らかにするためには、まずヨーロッパ人にとって「理性」というものがどのようなものなのかをはっきりさせておかなければならない。

1　「理性の不安」

〈理性〉という言葉がヨーロッパ人にとってもつ重みは格別である。ごく日常的なふるまいや態度についてもかれらはよく「理性的」「理性的でない」といった言い方をして、その善し悪しを批評する。最近は日本語でも、たとえば商品の値段と品質が折り合っているときなどに「リーズナブル」という言葉が用いられるが、この言葉はもともと「理性（リーズン）」という言葉から生まれたものなのである。

まして哲学の世界において、「理性」は中心的な役割を果たしていた。

（1）「理性」「知性」「想像力」「感性」

哲学の世界で〈理性〉と言えば、人間の持つ知的な諸能力のうち最上位の能力を指す。人間の肉体的能力は別にして、その知的能力ということでヨーロッパ人が考えるのは、「感性」「想像力」「知性」「理性」といったものだ。

「感性」というと、現在の日本語では「センスがいい」とか「芸術的才能」のようなものを考える。だが、哲学の世界で言う「感性」とは、視覚、聴覚、触覚、味覚、嗅覚という、いわゆる「五感（五官）」のことである。なにかを見たり、聞いたり、触ってなにかを感じたり、味わったり、臭いをかいだりする能力が感性（感覚）だ。これは、そこにあるものをただ感じ取る受け身の能力なので「受動的」なものとされ、知的能力のなかでは最下位におかれる。

「想像力」とは、かぐや姫の姿を思い描いたりする能力のことだが、ここでは、ただそこにあるものを受け取るだけではなく、その細部を自分で思い描いたり、作り出したりすることもできるため、感性にくらべれば能動的な能力とされた。

「知性」とは、一言でいえば、「規則や原則にしたがって推論する」能力である。規則に従う推論の典型的なものは「三段論法」である。「人間はみないつか、死ぬ。ソクラテスは人間だ。だからソクラテスはいつか死ぬ」がその例である。ここでは、人間誰にでも当てはまる事柄を「大前提」とし、ある個人が人間として分類されることを確認する「小前提」がつづき、そのふたつを組み合わせて、その個人にもまた大前提でいわれる事柄が当てはまることを述べる「結論」が帰結している。こうした「大前提、小前提、結論」という手順で、既知の前提から新しい結論を導くのが「推論」だ。

三段論法は、いわゆる「論理学」にぞくする推論だが、そのほか、幾何学の証明などに見られる数学的な推論、誰かがおこなった行為の善し悪しを判定する倫理的な、あるいは司法的な推論などもある。一般道を走る乗用車が一〇〇キロを超えた速度を出していたら、道路交通法の規定に反するため、その運転手は速度超過の反則を犯していたとされる場合、司法的な推論がなされていることになる。

知性は、目の前にあるわけではない事柄や人物などについて一定の結論を導くものであるため、感性にくらべればはるかに「能動的」である。また想像力がえてしてとりとめのないものになったり、そのひとにしかわからないものになったりするのにくらべて、規則性をもち、それだけに誰にでも納得できるもの、すなわち「客観的」なものと言える。だが、ここで問題が生じる。知性は客観的かもしれないが、それはひとえに推論が規則にしたがっているからである。だが、その規則そのものはどうして手にはいるのだろう。

ヨーロッパ古代の神話においては、人間があれこれ考える際の拠り所となるものは、いずこともしれぬ天から降ってきたものとされた。たとえばキリスト教の教典『旧約聖書』においては、ユダヤ人たちの指導者であったモーゼが山の頂にのぼり、ひとびとが最低限守らなければならない十の掟を書いた石板を「神」から受け取ったことになっている。それが「モーゼの十戒」だ。

だが、古代ならぬ近世以降において、数学や論理学の規則、道徳、法などが、天から降ってきたものだとか、どこかの山を掘ったら出てくるものだとか信じることはできない。規則や原則はやはり、だれか人間によって発見されたり、作り出されたりするしかない、ととりあえず考えられる。ところが、知性は、すでに存在し、与えられた規則や原則にしたがって考えを進めることはできても、その拠り所となる規則や原則そのものを作ることはできないのであった。そこで持ち出されるのが「理性」である。すなわち、理性とは、知性がしたがうべき「規則や原則を見いだす能力」だ。

ちなみに、現代日本語でそれにしっくりなじむ表現を見いだすのは難しい。計算がしっかりできたり、決まりを守ったりすることができるひとは「しっかりした」ひとであり、ひとびとが守るべき決まりをつくるひとは「賢い」ひとと言われるかもしれない。そのような人間の特質は形容詞のかたちで表現されるのがむしろ普通だ。名詞としては「智恵」「知恵」などがあるが、これはそれこそ感受性や想像力などすべてを含んだ総合的な能力だ。日本人なら形容詞として表現するものを、ヨーロッパ人はむやみに名詞にしてしまい、それにあたるモノがひとびとのなかにあると考える傾向、習性がある。

（2） カントの不安

さて、知性がしたがうべき規則や原則は理性によって見いだされるのであった。ところが、ここで問題が生じる。すなわち、もしわれわれが自分の理性を用いて、知的判断、推論の規則、原則を見いださなければならないとすれば、その理性そのものの働きの限界や正当性はどこからえられるのか、という問題である。

規則やルールを自分で決めていいのなら何をしてもかまわないように見えるかもしれない。だが、今までサッカーをしていて手を使ってはいけないはずだったのに、形勢不利とみるや、急に「手も使ってもいいことにしよう」と言い出すようなケースがある。子供の遊びではよくあることだ。

ところが、一八世紀頃の哲学者たちによる議論においては、実際にそのようなことが起こっていた。たとえば、「神の存在証明」という、彼らのお好みの議論がある。キリスト教の「神」が、単なる信心や仮定ではなく、実際に存在することを、まるで数学の証明のように、議論によって証明しようというのである。その際、はじめの手がかりとして、「すべてのものには原因がある」という原則を用いたとする。現在の世界やその中の人や事物、自然などが存在するためには、かならずなにか原因があったはずだ。ところが、その原因となるものにも、それを生み出した原因があったはずである。このように、現在あるものの原因の、そのまた原因を延々とたどっていくとしよう。その連鎖にはきりがない。それでは困るため、かれらは「原因を持たずに存在しうるなにか特別なもの」があり、それがすべての原因となったと主張したりする。それが「神」だ、というわけだ。ところが、ここでかれらはさきほどの子供と同じことをしている。かれらは、「原因がなくても存在しうるものがある（すべてのものに原因があるわけではない）」という新たな原則を作ってしまったのである。

人間が知性を行使するための原理、原則は、なるほど人間が自分たちで決めたり、発見したりしなければならない。それを「理性の行使」とよぶことにしよう。だが、その理性が原理、原則を決める手続きには一定の制限や歯止めが必要である。理性の制限や歯止めについての議論は、個別の原理、原則を決めるための原則についての議論である。それは、通常の原理、原則を求める議論とは別の次元でおこなわれる。ふつうなら、ただ三段論法にしたがって考えをすすめるだけなのに対して、ひとびとがしたがっている三段論法そのものがどういうものなのか、議論するのである。

ヨーロッパ近代を代表する哲学者であるイマニュエル・カント（一七二四―一八〇四）の考える哲学とは、こうした理性の限界について論じる哲学だった。それは、知性の原理を一段超越したレベルでおこなわれる議論（通常の原理を、いわば「上から目線」で論じる態度）である。そのため、こうしたことを扱う哲学を「超越論的」哲学とよぶ。

ところで理性がはたらくための限界、理性のための原理原則は、これまた理性自身によってしか決めることができない。何しろ、人間の知的能力としては理性が最上級のものとされていたからだ。ところが、この「理性の原理原則を理性自身が決める」という課題は、カントにとって、まるで底の見えない沼地にわずかな板きれを乗せて、その上に立っているかのように不安で、おそろしいものであった。人間の行為や推論、認識などについて、何が正しく、何が間違っているかを理性自身が決め、それが正しかったり、間違っていたりする根拠や規準も理性自身で見いださなければならないのである。自分が、わけのわからない子供の状態に陥っていないとどうして言えるのだろう。あるいは、自分がいつの間にか狂気の淵に立っていないとどうしてわかるのだろう。狂気もまた、判断規準を自分で勝手に作っている状態と言えるのである。こうして、信じられるものは理性しかないけれども、その理性を信じていいのかどうかわからないという「理性の不安」（坂部恵）の状態にカントは立たされる。

カントを襲った不安は、しかし、すでにかれに先立つルネ・デカルト（一五九六―一六五〇）において芽生えていた。『省察』における「方法的懐疑」の途上で、デカルトは、懐疑を遂行する自分自身が狂人でありうるかもしれない可能性に触れているのである。しかもそこに垣間《かいま》見えるデカルトの態度は、フーコーによれば、ヨーロッパにおける「理性」と「狂気」の関係を決定づける、ある大転換の表れでもあった。

2　狂気と理性：『狂気の歴史』

『省察』におけるデカルトの発言は、ヨーロッパ社会における「狂気」の取り扱いにとっての決定的な一歩を表している。だが、デカルトがいったいなにをしたというのだろう。また、それがそれ以前の状態とどうちがうというのだろう。

（1） デカルトの懐疑

デカルトといえば、「我思う、ゆえに我あり（わたしは考えている、それゆえ、わたしは存在する）」という言葉で名高い、近世ヨーロッパを代表する哲学者だ。だが、「わたしが考えていること」「わたしが存在する」ことが確実であるという、かれの洞察がえられるまでにはそれなりのステップが必要であった。「狂気」にかんする彼の発言が登場するのは、その過程においてのことである。

デカルトは「絶対確実なもの」を自分みずからで発見し、確立しなければならないと考えた。かれによれば、確実なものとは、何ら疑いの余地のないものである。逆に言えば、すこしでも疑う余地のあるものについては、その存在を「絶対確実」とは言えない。そこで、かれは身の回りのさまざまなことについて、それが本当に「疑いの余地のないもの」であるかどうかを確かめていこうとする。その過程で、かれはふつうだったら決して疑おうとはしない事柄をも検討していった。たとえば、目に見え、耳に聞こえるものなど、五官によって感じる事柄、すなわち、先ほど取り上げた「感性」による知覚についてもかれは検討を加えるのである。

感性的知覚の中でも、たとえば遠くに塔が見えているような場合、目に見える姿と実際の形とが食い違うことはよくあることである。東京タワーは、遠くから見ると円錐形に見えるけれども、近くで見れば四角錐だ。デカルトは、こうした事例をもとに、「一度、わたしを欺いたものは二度と信用しないのが賢明である」と述べる。どこかのテレビ局や新聞が、一度でも虚偽の情報を流した場合、もう二度とその会社の番組や記事は信用しない、という態度だ。

だが、同じ会社のものでも、娯楽色の強い情報番組とシリアスな報道番組とでは同列に扱うわけにはいかない。同じように、東京タワーを遠くから見た場合と、近くによってみた場合とでは、同じ視覚でも意味が違う。デカルトも同じように考えた。すなわち、遠くのものの感性的知覚は誤りうるかもしれないが、身近な事柄、たとえば自分が今、この部屋にいることに関してはどうだろうか、というわけである。

問題の箇所が登場するのはこの件《くだり》である。デカルトは言う。今、この部屋にいる自分は、炉端に座り、冬着をまとい、手に紙を持っている。それを疑うことは、みずから「狂人たちの仲間入り」をしてしまうことだ、と言うのである。「狂人たち」は、「無一物なのに自分は帝王であるとか、裸でいるのに紫の衣をまとっているとか、頭が粘土でできているとか、自分の全身が南瓜であるとか、ガラスで作られたものであるとか、しつこく言い張っている」(『中公クラシックス　デカルト』二五頁)。そのようなかれらの思いこみは、たしかにかれらの現実とはかけはなれた思い違いである。そして、もし自分が「炉端に座り、冬着をまとい、手に紙を持っている」ことを、現実と食い違った思い違いだ、と考えてしまえば、デカルト自身もまた、それほど身近な事柄についてとんでもない思い違いをしている「狂人たち」のひとりとみずから認めるようなものだ、とかれは言うのである。だが「かれらは気がちがっているのである」とデカルトは言う。それゆえ、かれは自分の服装や身体についての感性的知覚が間違っているなどという可能性は認めない。「もしわたしがかれらの例をまねたりするなら、わたし自身もかれらに劣らず狂人あつかいを受けるだろう」とデカルトは述べるのである。

とはいえ、自分の身体や服装といった身近なものについての感性的知覚がこのまま無傷ですむわけではない。「炉端に座り、冬着をまとい、手に紙を持っている」ことをはっきりと知覚しているのに、それが事実とはかけはなれた誤りであり、しかも「狂人」にいたることのないケースというのが存在するのである。それは自分が夢を見ているときだ。誰でも夢は見るし、夢のなかではいくらでも現実とかけはなれたことを感性的に知覚している。しかも、夢を見ているとき、そのことは気づかず、非現実の知覚を非現実として知るのは夢からさめて覚醒したときである。夢を見ている最中に、夢を夢として判別することはできない。そうとすれば、今はっきり覚醒して自分の身体や服装などについて知覚していると思っていても、次の瞬間には目覚まし時計がなって叩き起こされ、すべてはじつは夢であったということにならないとは断言しえないだろう。それゆえ、遠くのものに関するものばかりではなく、近くのものについてであってもおよそ感性的知覚はすべて疑いの余地あるものであり、確実とは言えない、とデカルトは断言する。

そののちデカルトは、当時は絶対に疑いの余地のない確実な真理と考えられていた数学や算数についても、やはり「疑いの余地あり」と結論する。簡単に言えば、数学の証明や算数の計算において計算ちがいの可能性は常にあるからだ。こうしてすべてについて疑いの余地があることを確認した後になってようやく、いくら理屈をならべて疑おうとしてもどうしても疑いの余地さえ見いだすことができず、結局、確実に存在するとしか言えないものとして、「我思う、ゆえに我あり」が登場するのである。

ところで問題は、デカルトが自分の狂気にいたる可能性を一言のもとに否定しているという事実である。かれは、すべての事柄についてそれが疑いの余地あるものかどうかを検討し、それによって絶対疑うことのできない確実なものを見つけようとしていたはずだ。目に見え、耳に聞こえている事柄のような、ふつう疑おうとさえしないものにまで疑いの目を向けるのが、かれのおこなった懐疑だった。ところが、自分が狂人かもしれないという可能性についてかれはすこしも検討しようとしない。自分が狂人にはなりえない、狂人ではありえないということは、逆に言うと、自分は「確かな理性の持ち主」であるということである。自分の感性や感覚、あるいは数学や算数にかかわる知性を疑うのであれば、理性について疑ってもよさそうなものだ。それどころか、懐疑を貫徹するのであれば、理性についても疑わなければ筋が通らないだろう。にもかかわらず、デカルトは、この問題にははじめから手をつけようともせず、自分は狂気にはいたりえないという結論を、ほとんど頭ごなしに出してしまう。これは知的な挙動不審である。

(2)「大いなる閉じ込め」

とはいえ、デカルトの態度は、一七世紀という時代、その社会状況に連動したものであったとフーコーは指摘する。

デカルトが『省察』を書いたのは一六四一年だ。それとほとんど同じころ、パリなどに「一般施療院」という施設が作られる。これは病院のような医療施設ではなく、行政府がつくった施設であり、その後フランス三二都市に作られた。同時に勅令が発布され、パリをはじめ大都市にいる乞食や放浪者、貧乏な学生、性病患者、男色者、「放埒《ほうらつ》者、知的障害者、放蕩《ほうとう》者、身体障害者・病弱者、気の触れた者、無信心な者、親不孝者、浪費癖のある父親、遊び女、狂人」「錬金術師」などが一斉に、この施設に収監され、監禁された。これを「大いなる閉じ込め」とよぶ。一六五七年にはパリ市で、当時の人口六〇万人の一％にあたる六〇〇〇人がこのようにして収監された。これを現在の東京都の人口にあてはめて換算すれば、一三〇万人ものひとびとが一斉に監禁された計算になる。

しかも、逮捕監禁の対象となったひとびとを見ると、現在の目から見ても、雑多としか言いようのないひとびとだ。そこでは、さまざまな病気の患者（性病患者、身体障害者、病弱者）も、当時の規準から見て軽度の犯罪をおかしたひとびと（浮浪者、放埒者、無信心者など）も、むしろ「道徳的」に問題のあるひとびと（親不孝者、浪費癖のある人物など）も、たんなる経済的困窮者も、すべてが一緒にされていた。こうしたひとびとはどこに共通点があったかというと、ひとえに「理性的ではない」という一点においてのことであった。かれらは「非理性」として認識され、隔離されたのである。こうして、一七世紀において、「理性でないもの」と「理性」とのあいだにはっきりとした境界、断絶が設けられたことになる。そのなかで狂人も、ほかのさまざまなひとびとと一緒に監禁され、見せ物にされ、拷問され、あるいは宗教的、物理的な「治療」が試みられた。このとき設けられたパリ市の一般施療院のひとつは後に、ビセートルという著名な精神病院になる。

だが、狂人や狂気に対するこのような施策は、それ以前のヨーロッパ社会を考えると、きわめて驚くべきことであった。なぜなら、中世からルネサンス期において「狂人」「狂気」は、一種、特別視される対象ではあったものの、隔離されるべき存在でも、忌避される存在でもなかったからだ。

(3) 中世における「狂気」

シェークスピアの『リア王』は、『ハムレット』『マクベス』とならぶ悲劇の傑作とされている。そこで重要な役割を果たすのが「道化」だ。娘たちに裏切られ、富や家来、住む家さえ失って狂乱のなか荒野を彷徨《ほうこう》する老王に、道化は最後まで付き添い、ジョークを飛ばし、常人には言いづらい真実を口にする。

一般に、中世からルネサンス期におけるヨーロッパの芝居では、「アルルカン」などとよばれる「道化」「愚者」（Fool）が必ず登場した。かれらは、筋の進行上決定的な場面で、風刺混じりに真理を語り、通常のひとびとが忘れている「真実」を暴露する重要な役割を果たしていたのである。ルネサンスの代表的人文学者エラスムスは『痴愚神礼賛』（一五〇九年）という書物で知られるが、この書物は愚者が神として人間や社会の虚構を暴く。

だが、なぜ狂人や愚者、道化がそのような特権的な地位をしめたのだろう。

中世人にとっての世界や自然とは、たとえば災害や伝染病に象徴されるように、合理性を一切もたない運命の支配する、不安と恐怖に満ちた場所だった。いわゆる近代科学の内容となる合理的、数学的自然法則とは、まったく正反対の「非理性」に満たされたものだったのである。それを象徴するものが狂気や狂人にほかならなかった。狂気とは、常人にはうかがい知れない世界の知を暴露するものだったのである。

一方、狂人や狂気は、人間をはるかに超越した「神」の理性と通じ合うものとも考えられた。人間の有限な知恵は、神の無限の知恵とくらべれば取るに足らない、神から見れば「狂気」のようなものかもしれない。だが、逆に、神の底知れない知恵もまた、人間からみれば「狂気」にも見える、容易に推し量れないものである。この世にありながら常人を超えたことを考える「狂人」は、その神の理性にむしろ近いものと感じられたのだ。

なるほど、中世においても、狂人が町から追放されることはあった。町から追放された狂人たちは「阿呆船」に乗せられる。だが、これは一七世紀における隔離とは意味が違っていた。ヨーロッパ中世人にとって、水は現世と「あの世」の境界にある曖昧な存在であり、行方も定めずにただ水の上をただよう阿呆船とは、まさにそのような曖昧な場所にほかならない。狂人は、現世とあの世のあいだ、「外でもなく内でもない」場所におかれるしかないものと考えられていたのである。

いずれにしても、中世からルネサンス期までのヨーロッパにおいて狂気や狂人は「常人」よりは自然の真理や神の理性に近い場所、「この世とあの世のあいだ」の場所に位置を占め、それだけに「世間」の常識に縛られた者には口にしづらい真実をも暴露することができる、特殊ではあってもどこか理性や知と地続きの存在だった。

当時、イタリアに叙事詩人として知られたトルクァート・タッソー（一五四四—一五九五）は、晩年、精神に異常を来して幽閉された。フランスルネサンスを代表し、デカルトより六〇歳年上のモラリストであるモンテーニュ（一五三三―一五九二）があるときこのタッソーを訪れたという。その際、モンテーニュは、タッソーのことをいたむよりむしろ感嘆した。タッソーが生ける屍のようになったのは、かれの類い希な詩才のなせるわざだったのであり、それが最高潮に達したとき狂気にいたったとモンテーニュは考えるのだ。「狂気は理性にとっては、その激しく密かな力にほかならない」（『狂気の歴史』五一頁）。狂気は理性の延長線上にあり、理性をより高く飛翔させるものだった。狂気や狂人は、人間にとってのあるべき尺度を示し、あるいは通常の人間にはありえないなにかを創造する存在、常人よりもはるかに神に近い存在と考えられていたのである。

このような文脈から見るならば、一七世紀になって、まずデカルトが「狂気」「狂人」を、まるで、一度火傷をおった子供が火を怖れるように、何のためらいもなく考察の場から斥け、パリ市をはじめ各地でそれに類すると考えられたひとびとが監禁されたのは驚くべきことなのである。

『狂気の歴史』においては、その後、一八世紀以降において、いったん隔離された「非理性」に属するひとびとから、犯罪者や怠け者、病人などと狂人とがさらに分類、識別され、診断され、治療と称するさまざまなあつかいを受けていく様が念入りに述べられていく。

（4）近世以降

デカルトのあと、一八世紀になると「正常者」にとっての狂人や狂気との距離はますます大きなものと感じられるようになる。ひとびとは狂人を売春婦その他「好ましくないもの」とごちゃまぜにして監禁し、檻に入れて公衆の前に引き出して見せ物にする。その結果、狂人は、見せ物に供せられた多様なひとびとのなかに混じり込んだ異常な存在として認識されることになる。それとともに正常者側には、いわば「余裕」が生まれた。狂人その他を「非理性」として一括し、「わけのわからない」存在として、ただひたすら遠ざけるだけではなく、狂気がもっている「非理性なりの合理性」を明らかにしようとする態度が生まれるのである。すなわち、狂気にかんする「病理学」的態度の誕生だ。

だがそれは、現在、通常考えられる医学とはずいぶんと性格の異なるものだった。医師たちは、狂人を、何時間も水風呂につけたり、ネズミの出る狭い独房に一晩中監禁したりして、それを「治療」と称したのである。水風呂につけたのは、狂人においては体内の体液が過剰になっており、それが狂気の原因と考えられたからだ。当時の医学や病理学においては、人間の体内には血液、粘液、黄胆汁、黒胆汁という四種類の体液がながれ、その量に応じて人間の性格が決まると考えられていた。また、独房に監禁したのは、狂気が道徳的な欠陥と考えられたため、恐怖によって迷妄を追い払う必要があると考えられたからである。

その間、精神医学者がおこなっていたのは、狂人を抑圧することでしかなかった。何十年も鎖につながれ、監禁されるのが狂人たちの運命だったのである。

一八世紀に、パリのビセートル精神病院に就任したフィリップ・ピネル（一七四五―一八二六）は、神経症患者を鎖から解放したことで知られ、フランスの「人道医療」の先駆者として称えられている。だが、そのかれもなにも狂人を自由に生きる場所へと解放したわけではなかった。当時の狂人保護院にかれは医師をはじめて導入したが、それは、医学的診断治療のためではなく、看守や看護婦の命令には逆らう患者も医師の言うことなら聞くからであった。

精神分析学の創始者とされるジクムント・フロイト（一八五六―一九三九）は、一七世紀以降のヨーロッパにあって、理性を失ったものたちとの対話をはじめて試みた存在に見えるかもしれない。だが、フロイトの精神分析においても、医師はあいかわらず、患者がしたがうべき権威でありつづけ、非理性はあくまでも客体化される存在でしかない。

その間、非理性を非理性として経験したのは、作品に狂人を登場させたディドロ、ヘルダリン、ネルヴァルといった文学者たちだけだった。一方、画家のヴィンセント・ヴァン・ゴッホ、哲学者のフリードリヒ・ニーチェ、劇作家のアントナン・アルトーなどは、ヨーロッパ社会を根底から震撼《しんかん》させるような創作活動をのこしたあと、狂気を発症し、その創作活動をやめてしまう。われわれは、狂気にいたったかれらの生涯を思うとき、偉大な仕事が永遠に失われたことに繰り返し思いをいたすことしかできない。

（5） 狂気経験の構造

『狂気の歴史』に述べられているのはとりあえずこのようなことである。【図1】

タイトルから予想されるのは、古来のヨーロッパ社会における「狂気」「狂人」「非理性」などの経緯の叙述だった。だが、実際に描かれているのは、「狂気」「狂人」「非理性」

図1　ヨーロッパ中世から近世への移行

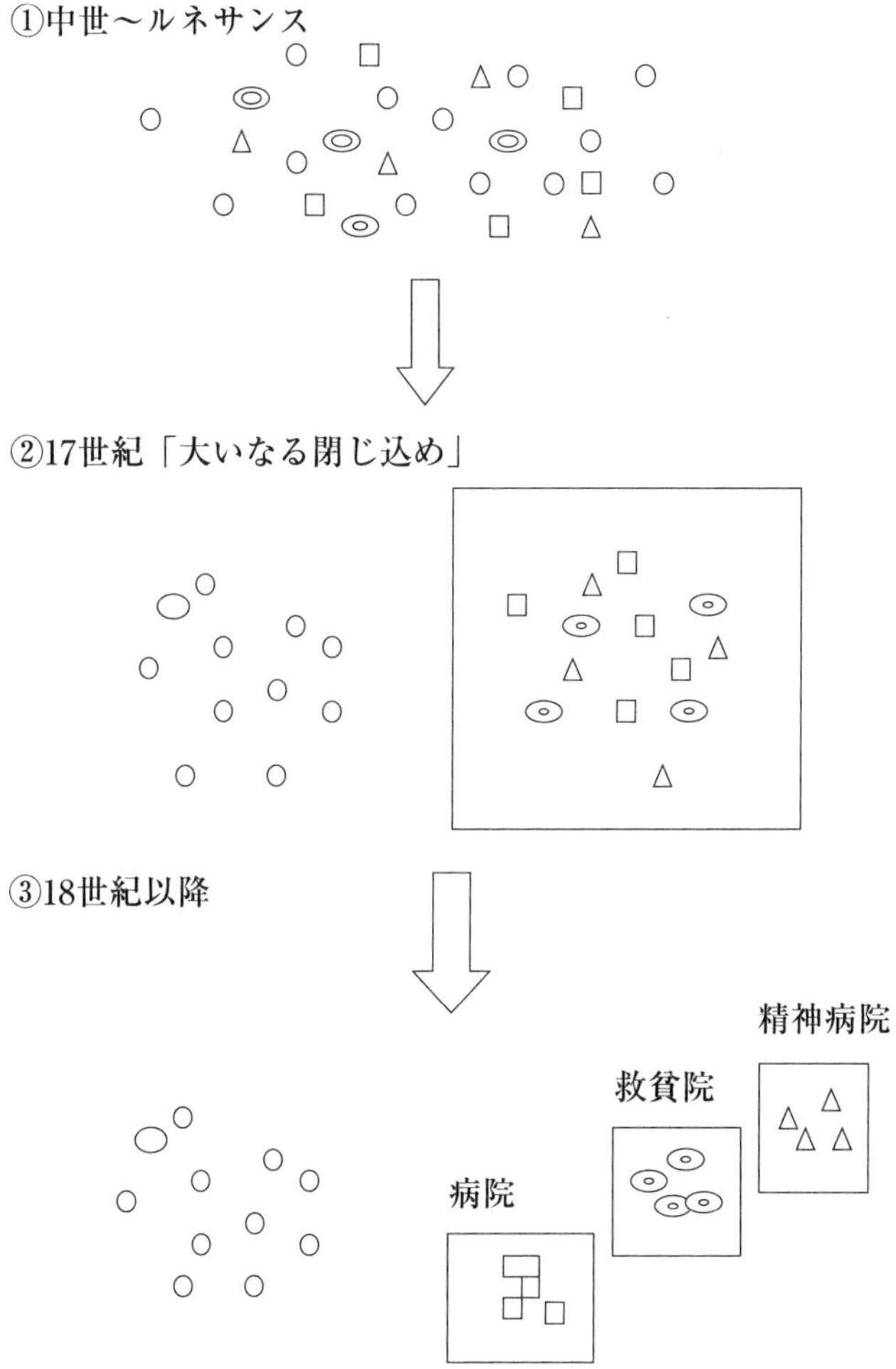

にたいして、「通常の」ひとびとがどのような態度をとり、それをどのように知覚し、どのように感じ（「感受性」）たのか、どのような「学問」、「取り扱い方」（監禁、拷問、見せ物、宗教的・物理的「治療」）が生まれ、どのような社会的、宗教的、法的制度が作られたかということ、つまりは「狂気についての経験の構造」である。

『狂気の歴史』が、「狂気」「狂人」「非理性」そのものの歴史ではなく、「狂気経験の構造」であることはある意味では当然だ。すなわち、「狂人」と認定された者が何を語っても、それは「うなり声」としてしか知覚されず、聞き取られることはなかったからだ。とはいえ、ここでひとつ考えてみなければならない。「だれか」があげている声を、「凶暴な狂人のうなり声」としてしか知覚せず、その存在を隔離し、あるいは排除することは、なにもフーコーが扱っているような「狂人」に対してだけ生じたことではなかったからだ。

たとえば、中世における「魔女裁判」の模様を考えてみよう。魔女という嫌疑をかけられた「被告人」はたしかに裁判の場に引き出され、答弁を許された。だが、地域ごとの言語差（「方言」）が現在よりもはるかに著しい時代にあって、「教育」をうけていない農村民の発言は、中央から派遣された裁判官、法務官の語彙とはまったく異なっている。また、法律用語で武装した裁判官の思考回路と、そのようなことを一切学んだことのない農民の考え方は根底から異なっていた。農民の発言は、いかにその地域では常識的なものであったとしても、裁判官にとってはおよそ意味をなさないうわごとなのである。その結果、一度疑いをかけられた農民は、ほぼ自動的に魔女として処刑されることになる。

実際、シベリアの狩猟民などについて、かれらが「三段論法」をまったく理解しないことが指摘されている（オング『声の文化と文字の文化』）。もし、三段論法のような論理的推論をおこないうることが知性の証であるとするならば、かれらは理性どころか知性も持っていないことになるだろう。ところが、よく考えてみれば、「英雄色を好む。わたしは色を好む。ゆえにわたしは英雄だ」といったたぐいの論理的推論の誤りは、だれでも容易に犯しうるのである。

そうとすれば、どこからどこまでを狂人や狂気として認定するのかどうかの境界はきわめて曖昧であることになる。いったん狂気と理性とを区別し、自分は狂人ではないと認めていたとしても、今触れた推論の誤りのように「理性ならざるもの」の要素は、ある意味で誰でも抱えていることになる。狂人とそうでない者との境界はどのようにして引けるのだろうか。

ヨーロッパ社会において、狂人と理性との境界がはっきり定められたのは一七世紀においてのことであった。だが、なぜ一七世紀にとつぜん、こうした変化が生じたのだろう。この問いにフーコーは、「非理性を前にした不安」がその原因だったと答えている。理性ならざるものが目の前にあり、しかも、理性として自分を認知している者すらも、いつ非理性に陥るかは予測しえず、自分自身の内側に非理性の要素がある。危うい理性の位置を守り、自分自身もまたその地位から追われることのないように、とりあえず「狂気」「非理性」とみなしうるものを囲い込む。それが「大いなる閉じ込め」であり、デカルトによる狂気の可能性の否定だ。すると、ここでもうひとつの回路が起動する。非理性や狂気などは非社会的なものであるがゆえに隔離されるのではなく、「隔離が非社会的なものを生む」のである。こうして、隔離の結果、非社会的、非理性的存在が生まれる。そのとき、隔離されなかった側は、非理性ではない者、すなわち理性となる。こうして、「非理性ではないもの」として自分自身が規定されることによって、自分自身を理性とするアイデンティティが確立されるのだ。

「理性」が「非理性」を隔離するのは、自分が狂気にいたらないようにするため、自分が理性であることを保証するためであった。そうとすれば、「理性は、狂気なしに存在しえない」ことになる。フーコーは、理性的世界は狂気によって意味をもっていたと言うのである。

3　理性の相対化

フーコーの目から見れば、ヨーロッパ的理性が、みずから理性であることを確保するためにやっていたことはひどく卑劣なやり方だった。一七世紀に生じていたのは、まず、少しでも問題があるものはすべて囲い込んでそれを「非理性」とみなし、それとは異なる自分たちは「理性」だとみずから宣言する、というやり方だったからだ。

とはいえ、理性が自己確認するためのこうしたメカニズムは、すでにフーコー以前の哲学者によっても指摘されていた。

ニーチェは、フーコーも大きな影響を受けた哲学者だ。かれは、「善悪」「正義」「清貧」といった、ヨーロッパ社会において伝統的に追求し、守るべき価値と考えられた事柄について、その価値を否定し、それを「ニヒリズム」と言う。

ニーチェが、伝統的な価値を否定しうるのは、その価値の根拠が「ねたみ」「ひがみ」

「うらみ」といった、ある意味では「卑小な」感情に根ざしていると考えたからである。

すなわち、戦で敗れた敗者、社会的な弱者などは、勝者や強者にたいして、武力や財力、政治力などによって勝つことはできない。そのとき弱者や敗者はどう思うか。自分たちは、なにをしても「かれら」に勝てない。だが、かれらは、なにも彼らに危害を加えていない自分たちをひどい目に遭わせている。かれらは「悪者」である。それに対して、自分たちは「善」だ、と考えるだろう。こうして、ニーチェによれば、「善悪」とは、弱者、敗者が、強者や勝者に対して「悪」というレッテルを貼り、その反対に位置するものとしての自分たちを「善」と位置づけることによって生まれるものであることになる。【図2】

その根底には、弱者、敗者が、強者、勝者にたいして、武力や財力などほかのどの手段を使っても勝てないけれども、せめて「道徳」「倫理」という観点からすれば優位に立てるし、それによって溜飲を下げることができるという、「ねたみ」「そねみ」「うらみ」の感情があり、それをニーチェは「ルサンティマン」とよんだのであった。

通常、「善／悪」と言えば、まず「善」が規定され、そのあとになってから、人や行為が「善」と言われるその要因が欠けている程度に応じて「悪」と言われる、と考えられる。同じように、「理性／狂気」と言えば、まず「理性」が規定され、その要因が欠けて

図2　ニーチェのニヒリズム

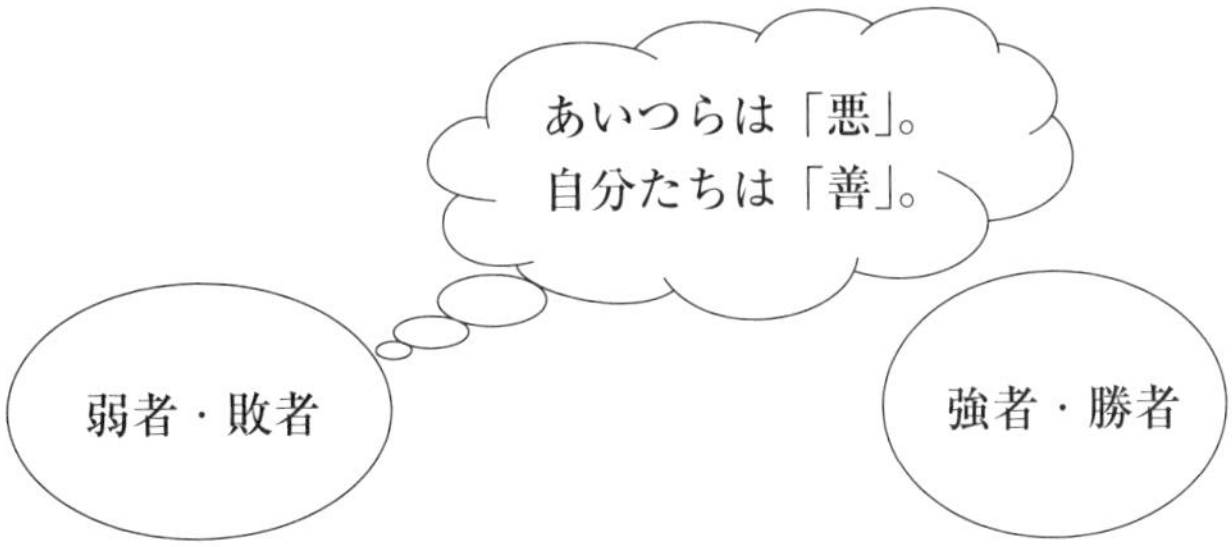
あいつらは「悪」。
自分たちは「善」。
弱者・敗者
強者・勝者

いる度合いに応じて「狂気」が規定されると考えられるだろう。だが、実際には逆であり、「善／悪」で言えば「悪」の方、「理性／狂気」で言えば「狂気」の方が先に決定され、そのように対立する二項のうち、ネガティブな方が規定されることによって、その否定である項が確立される、というのが、ニーチェやフーコーの考えである。しかも、ニーチェやフーコーの考えでは、そのようにネガティブな方が規定され、その否定としてもう片方が規定されることによって、まるで「マイナス×マイナスはプラスになる」ように、もう片方はポジティブなものとして位置づけられることになるのである。デカルトがやったのは、簡単に言えばそういうことだった。

ところが、ニーチェの考えでは、「善／悪」がきまってくるこうしたメカニズムが明らかになることによって、従来は「価値あるもの」と考えられていた「善」の価値が暴落し、いわば、たんなる「負け犬の遠吠え」に堕してしまう。フーコーにおける「理性」もまた、狂気を隔離し、それを抑圧することにおいてしか成立しえないことが明らかになれば、当然、その価値は大幅に暴落する。

ある時点では価値あるものと考えられていたものが転落するメカニズムは、ヘーゲルにもみられる。

ヘーゲルによれば、「一人前」の存在になるためにひとは、最初、部下や手下、奴隷など、自分の意のままになる存在を集め、支配しようとする。権力を握ってはじめて一廉《ひとかど》の者たりうる、というわけである。だが、それを実現し、多くの手下の「主人」となった瞬間、逆転が生じる。すなわち、自分は主人だからおおくのひとびとを従えているのではない。むしろ、ひとびとが自分を主人として認め、したがってくれているからこそ、自分は主人たりうる。もしかれらがいなければ自分はただの人だ。当初は、主人が奴隷にたいして優位にあると思われていたのに、実は、奴隷こそが優位を持っていたことになる。このような逆転を、ヘーゲルは「主人と奴隷の弁証法」とよぶ（『精神現象学』）。弁証法とは、はじめの状態にたいして、それを否定する状態が出現し、両者否定しあうことによって、新たな第三の状態が確立する過程である。「主人と奴隷の弁証法」の場合、だれかを支配下に置くことによって自分は自分たりうる、という考えそのものを否定し、「誰も認めてくれなくても自分は自分」という「孤高」のあり方を追求するのが、第三の状態である。

【図３】

同じように、狂気の隔離抑圧によって、理性が理性として成立していたメカニズムが明らかになり、ゴッホやニーチェといった狂気によってこそ理性は意味を獲得していたこと

図3　ヘーゲルの「主人と奴隷の弁証法」

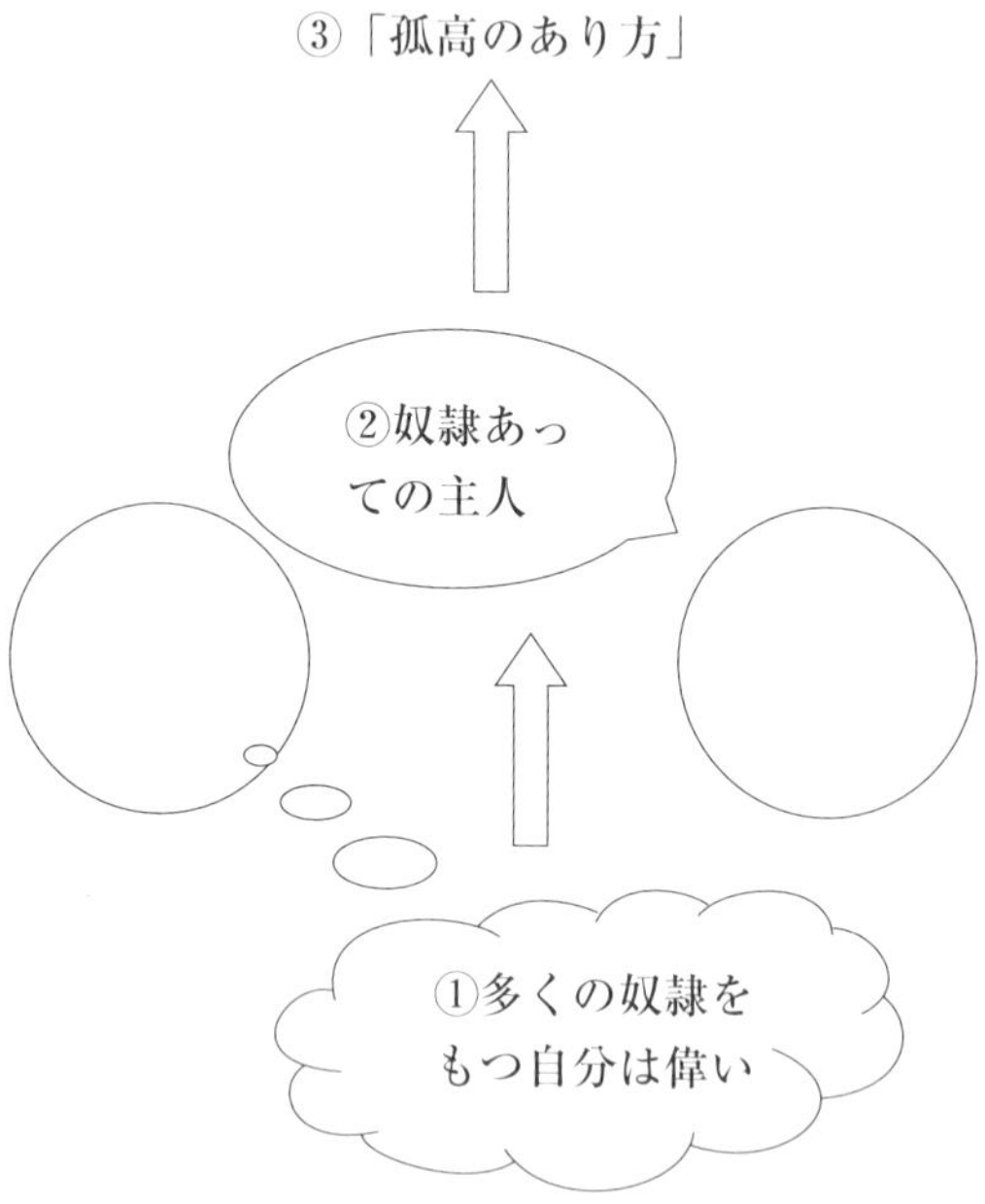

図４　フーコーにおける狂気と理性（非理性ではない自分は理性）

が白日の下に曝《さら》されたとき、それまで安全地帯にいたと思われていた理性、すなわちわれわれ自身もまた、その足下を揺さぶられることになるのである。【図４】

ヘーゲルであれば、主人と奴隷の地位が一度逆転しても、その両者の対立を克服して、一段高い立場へと移行することができた。だが、フーコーにおける理性と狂気のあいだに、そのような移行はありえない。しかも、フーコーの考察から明らかになったのは、「理性」なるものが現在人々に思われているような形で成立したのが、じつはヨーロッパ社会の歴史から見ればごく最近のこと、一七世紀においてのことでしかなかったということである。

『狂気の歴史』において明らかになったのは、

一七世紀に確立されたその理性も、「非理性ではないもの」という、否定を繰り返したものでしかなかった。では、理性の具体的な内容はどのようなものなのだろう。それを明らかにしたのがフーコーの次の著作、『言葉と物』であった。

第二章　知の台座——ヨーロッパ的知という構造

「人間」「生命」などといった言葉、概念を、われわれはごく普通に用いている。それどころか場合によって、こうしたものの存在や妥当性を否定したり、疑ったりしただけで胡《う》散《さん》臭い目で見られることがある。「人間のいのちは地球よりも重い」という言い方は現在でも受け入れられている。自然を題材にした写真展が多くの観客を集めるなど「生命」の神秘は、ひとを感動させずにはいない。

だが、こうした諸観念はどれほどの根拠があるのだろう。それは決して古来、ひとびとにとって当然の考え方だったわけではなく、また無条件に認められる概念でもない。「人間」「生命」「進化」といった観念は、ヨーロッパのある時期において誕生したものであり、しかもそこに確固とした根拠らしきものがあったわけでもない。そのことを示すのが

『言葉と物』である。

1　思考の土台：エピステーメ

「うさぎあひる」という図形がある。【図5】「うさぎ」と思ってみれば、左側に耳を伸ばして右側を向いた顔が見え、「あひる」と思えば、左側の突起はクチバシに見えるだろう。われわれは、ただ目の前の描画を見る場合でも、自分の見方に影響されて、おなじものでも別様に見えてしまう。

アメリカ合州国の科学哲学者ハンソンが知覚の「理論負荷性」とよんだ現象も同様だ。蛍光灯を見ても、一〇〇年前の日本人はそれがなにか見当もつかなかっただろうし、最新のSDカードを見ても、一〇年前の自分ならそれがなんだかわからなかっただろう。われわれの知覚は、その人がどのような理論を知っているかに大きく依存し、その結果、おなじものを見てもひとによって、そこになにを認めるかは大きく変化する。

それは、電化製品や電子部品についての知識といった限定的なものである場合もあれば、もっと漠然と一般的な世界観の場合もある。夜、道を歩いている目の前をコウモリが

図５　「うさぎあひる」

通り過ぎたとき、現代人であれば、夜行性のコウモリがエサの羽虫を追いかけているのだろうとしか思わない。だが、さきほど少し触れた中世のヨーロッパ人なら、我が身を脅かす悪霊の跳梁をそこに見るかもしれず、あるいは中世の日本人なら、あわれコウモリにひとのみにされる羽虫の運命を思って世の無常を感じるかもしれない。

同じ事柄を前にしても、時代や地域によって、そこになにを見るかは大きく異なる。それを左右するのは、現代の自然科学やヨーロッパ中世、日本の中世それぞれに異なる世界観だ。こうした世界観は、その時代、地域の人々の考え方や知覚、感覚、感情などを一様に支配する。コウモリにもののあわれを感じて、俳句や短歌を作るひとびとは、悪魔や妖怪に怖れるひとびととは異なった行為や思考をおこなうことができるし、逆に、後者に可能なことは前者にはできない。

ある時代、ある地域に属するひとびとの行動や知覚、思考を可能にするとともに制限するようなものをフーコーは「エピステーメ」とよぶ。ギリシャ語で「知」を意味する語だ。エピステーメは、ひとつの時代地域に属するひとびとの振る舞いを一様に拘束し、独特の知覚や思考、行為を可能にする。たとえば、動植物のことを論じても、商取引について論じても、言葉の役割について論じても、扱っている内容がいくら変化しても、基本的発想は変化しないのである。その点で、エピステーメとは思考の土台のようなものだ。一方、ある時代のエピステーメは、時がくれば一気に変化して別なものとなる。エピステーメが、断続的にいかに根底から変形するか、その模様を、動植物についての学について見てみよう。

2　動植物についての知

動物や植物についての関心はヨーロッパ社会においても古くから見られた。フーコーが取り上げるのは一六世紀、「ルネサンス」期以降の、そのあり方だが、それは一七世紀、

一八、一九世紀と時代がたつにつれて大きく変化してゆく。

（1）一六世紀

中世と近世の端境期である一六世紀にも動物を網羅的に知ろうとする関心はあり、「博物誌」とよばれる。

たとえばアルドロヴァンディという人物は、今で言う「爬虫類図鑑」のようなものを作る。そのなかには、蛇などについてさまざまな記述がなされているが、その順序は次のようなものだ。「蛇という語の多義性、その同義語、語源、種類、形態、解剖学的構造、性質、習性、気性、交接、生殖、声、運動、棲息地、食物、容貌、反感、共感、捕獲法、蛇による死傷、毒害の症状と徴候、治療法、形容語、名称、脅威、前兆、怪蛇、神話、蛇にゆかりの神々、教訓談、寓話、神秘譚、象形文字、寓意画、格言、貨幣、奇跡、謎、金言、紋章、歴史的事実、夢、画像、彫像、食物としての用途、医学上の用途、その他の用途」。ここには現在で言う生物学的、博物学的要素と、それ以外の要素が雑然と混ぜ合わせられている。アルドロヴァンディの書物には伝説上の生き物も登場する。『日本動物図鑑』に、乙姫や鬼が記載されているようなものである。アルドロヴァンディの書物は、観察結果を記述したものではなく、「伝説」もしくは「読まれたもの」からの抜粋であった。実際、アルドロヴァンディの書物のタイトルは『蛇と龍の話』というのである。

見られたものと、書かれたものとの無差別という一六世紀的事態は、一七―八世紀になると克服されるように見える。「近代分類学の父」とよばれるスウェーデンの植物学者リンネの「分類学（タクソノミア）」において、植物種の同定と区別のために問題となるのはもっぱら目に見える植物の特徴だからだ。

（2）一七―一八世紀

リンネの方法論について理解するためには、次のような情景を思い描いてみるのがいい。

ヨーロッパ諸国から、当時、発見されたばかりの太平洋や喜望峰航路を通って、南北アメリカ大陸やアフリカの奥地、南洋諸島などへと探検のための船舶が派遣される。探検船の任務は、未発見の島や大陸を探して、そこに住むひとびと、地形、動植物、鉱物などを調査することである。

地球は広く、調査すべき場所は多いのだから、植物の調査ひとつをとっても手分けしておこなわなければならない。ところが、植物学者と称するひとびとが、それぞれ自己流で標本を集め、スケッチをし、「珍しい」とおもった植物に名前をつけて持ち帰ったのでは、あとの整理が絶望的にたいへんな作業になる。なにしろ、ちょっと前までは蛇と龍を一緒に論じていたヨーロッパ社会である。もともと整備された植物図鑑があったわけでもなく、ひとびとの知識もまちまちである。だれかが、訪問先の植物を本当に網羅的に調査したかも確かめられず、また、たとえば南米で発見された新種とインドネシアで発見された新種が本当に異なるのかもわからない。思いがけず同じ種が各地に分布しているかもしれない。

南米とインドネシアなど遠隔地に生えていても同じ植物種であると認め、逆に、一見するといくら類似していても別の種類として区別することを、植物種の「同定」とよぶ。リンネとしては、誰がどこへ行っても十分信頼に足りる種の同定がなされるような工夫をし、それによって世界中の植物の網羅的把握ができるようにしなければならなかった。そのためにかれが編み出した方法はきわめて巧妙なものだ。

植物種を同定するためにはその特徴に注目しなければならない。ところが、イチゴやサクラ、ジャガイモ、ナス、ホオズキなどを思い浮かべてみればわかるように、植物同士のあいだには、多年生樹木か一年生の草か、葉や根、実の形状、大きさ、生育に適した環境、さらに薬効や食物としての適不適など、さまざまな特徴がある。そのなかでリンネは、植物種の同定のためにはその花だけに注目することに決める。未踏の地に行った植物学者は、目に入った植物の花に注目し、花弁や雌しべ、雄しべ、萼《がく》などの形状、数、大きさの比例関係、位置という構造的特徴のみを記述すればいい。こうした観点から、より類似したものは近い「科」に分類され、そうでないものは遠い「科」や「類」に分類される。この構造的特徴さえ一致しておれば、他の特徴にかんしていくら異なっていても同じ科とされ、他がいくら似ていても花の構造がちがえば別の科に属するものと決めたのである。そのため、サクラとイチゴは同じ「バラ科」、ジャガイモとナスとホオズキは「ナス科」としてまとめられることになる。

こうして誰にでも、未踏の地の植物を記述し、種を同定し、分類することができることになる。構造的特性が同じであれば、それが見いだされたのがアフリカであろうが、アマゾンであろうが同じ種であり、逆に、少しでも相違があれば、隣に生えている個体であっても異なる種に属する。「分類学」の誕生だ。

リンネのやり方は、現在の生物学そのものだと思われるかもしれない。ところが実際には、それは現在われわれが理解しているものと、まったく異なる知のあり方なのである。

たとえば、当時、石切場などからはさかんに古代生物の化石が発見され、その中には、今で言う「オウムガイ」の化石も数多く含まれていた。ところが、当時の博物学者は、それを「心臓石」と呼んでいた。外見が動物の心臓にそっくりだったからである。また、魚の鰓とほ乳類の肺は、現在の常識からすれば、おなじ「呼吸器官」として同一機能をもつ器官である。ところが、当時においてはそのように考えられなかった。肺と鰓とでは、外見がまったく異なるからだ。外見の見た目さえそっくりならば、その実質がまったく異なる心臓と貝殻とを一緒にしてしまい、外見が異なれば、実質的には同じ器官と言っていいものを別物あつかいしてしまう。すなわちリンネをはじめとする一七―一八世紀の博物学者にとっては、目に見える動植物の表面だけが問題だった。思えば、植物の生殖器官の構造も目に見える表面上の事柄だ。

リンネをはじめとする一七―一八世紀の博物学者にとっては、目に見える表面、目に見える形で知覚したり想像したりすることができる「表象」だけが問題であり、表面にはあ

図6　17世紀のエピステーメ（ものの表面しか目に入らない）

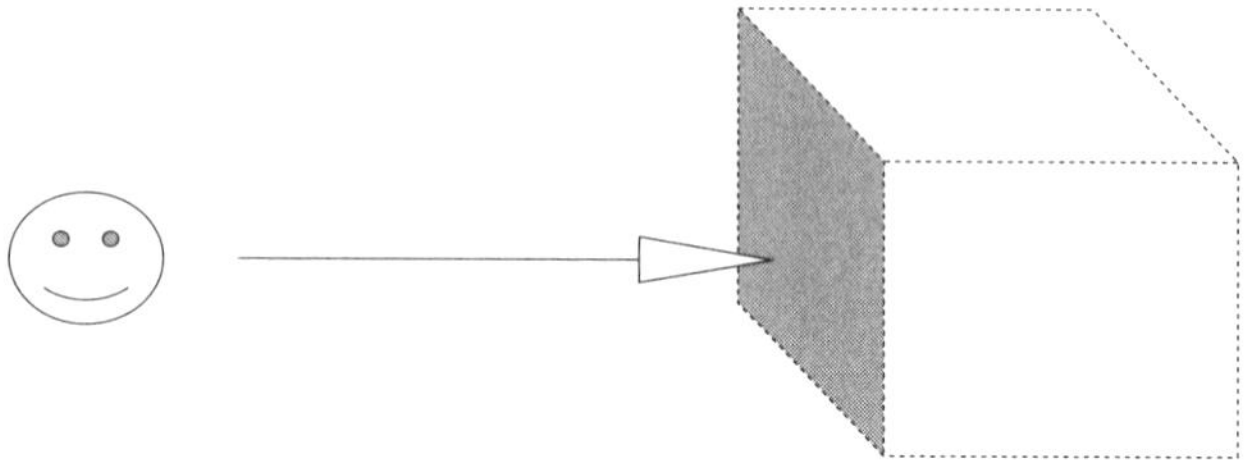

らわれず、目にも見えない器官や機能といったところには目が向かなかった。これが一七―一八世紀のエピステーメである。それは確かに、可視的表象だけに視野を限定することによって、アルドロヴァンディの時代を支配していたような「伝説」などが植物の分類に混入することは予防し、もっぱら観察されたデータだけをもとに植物の分類を可能にした。だが、同時にこの一七―一八世紀的エピステーメによってものを見ている人々にとって、表面の奥にある機能や器官の役割へと目を向けることは不可能だった。【図6】

（3）一九世紀

一九世紀になると、フランスの博物学者ジョルジュ・キュヴィエ（一七六九―一八三二）によってドラスティックな変化がもたらされる。かれは、それまでホルマリン漬けになっていた動物標本を片端から解剖台にのせ、その内臓その他の器官を明らかにしていった。その際、キュヴィエは、外面的な形態によってではなく、機能の観点からのみ器官を規定したのである。ここにおいてはじめて、哺乳類の肺と魚類の鰓とが、形態においては異なるものの、呼吸器官という機能においては同一のものと認められ、他の哺乳類とは、一見似ても似つかないコウモリやクジラも哺乳類と言われる。

ところで、機能という観点は、さらに多くの変化を生物学にもたらすことになる。

ウシとライオンのからだのつくりを考えてみよう。ウシなどの草食動物は、草を噛み砕く臼のような歯をもち、植物繊維をゆっくりと消化するために強靱な胃袋を四つも持っている。野生の草食動物の場合、運動機能に関しては、外敵である肉食動物から逃げるための素早い脚はもつが、攻撃能力はない。一方、ライオンなど肉食動物は、獲物の肉を咬みきるための鋭い歯をもつが、その消化器は草食動物ほど強靱ではない。肉を消化するのは比較的容易だからだ。運動機能に関しては、獲物を倒すための強力な前脚、逃げる獲物に追いつくための速い移動能力をもっている。ところで、問題は、ライオンの胃袋をもつ動物がウシの歯をもつことはなく、ウシの運動能力をもつものがライオンの歯をもつことはない、ということである。すなわち、消化、運動など各系統内では、器官同士の共存可能な組み合わせと、共存不可能な組み合わせとがある。同じことは、呼吸系統や循環系統などにも言えることだ。また、器官や骨格の機能的共存可能性は、各器官、骨格の形状や強度、材質なども相互に関連する。

こうした、機能や形状同士の相互関連、共存可能性の見通しがつけられることから、たとえば腰骨の化石しか発見されなかった古代生物の全身模型を、腰骨の形状その他をもとに復元することが可能になるのである。

一方、各動物の器官や骨格などの形状や機能は、その動物が生息している環境とも相互的な関係に立っている。分類学上は近い種であっても、水中か陸上かなど、生息環境の相違によって、利用可能な栄養物や酸素のあり方は異なり、それに伴って器官の形状も変化する。器官の形状は、生息環境の関数なのである。

だが、このことから、環境が変化すれば、それに応じて器官の形状も変化しなければならないし、また、できるということが帰結する。こうして、長い期間にわたる、氷河期や大陸移動などの地球上の環境の変化の過程で、動植物がさまざまにその解剖学的構造を変化させ、多様な種が生まれたとする、チャールズ・ダーウィン（一八〇九—一八八二）の「進化論」が生まれる素地が整うのである。動植物が現在のように存在するのも、長い時のあいだにさまざまな変化が生まれる、各動植物種のもつ歴史性のおかげであることになる。

3　エピステーメが生み出すもの

一六世紀の博物誌、一七—一八世紀の博物学、一九世紀における生物学は、それぞれ確かに、動植物の分類を問題にしているという点ではかわらない。だが、それぞれの内容を見ると様子はだいぶ変わってくる。一六世紀のアルドロヴァンディのやっていることを一七—一八世紀のリンネや一九世紀のキュヴィエはおよそ動植物についての学問とは認めないだろう。リンネの博物学も、現代の考え方からいえば、ずいぶん奇妙な営みであった。それぞれの実質は、相互に大きく異なっており、まるで同じ学問とは見えない。

しかも、その変化は、ある時代に立てられた問題を後に解決することによって生じる連続的な発展、進歩ではなく、まるで、その都度、一からすべてをやり直すかのような非連続的転回なのである。こうした非連続が生じたのは、各時代固有のエピステーメが変化したからだとフーコーは言う。その全体像をもう一度、見直してみよう。

（1）エピステーメの転換

一六世紀とは中世と近世の過渡期、いわゆるルネサンスの時代である。さきに『狂気の歴史』についてみたように、この時代のひとびとにとっての世界や自然とは、災害や伝染病に象徴されるように、合理性を一切もたない運命の支配する、不安と恐怖に満ちた場所だった。すべてが混乱し、いつどこから敵意をもった相手が襲ってくるかもわからない世界にあって、かれらが世界を秩序づける原理となっていたのは「類似」という関係だった。昨日見たカモと、今日のカモとは類似しているがゆえに同種であり、同じように食用になる。それればかりかそこでは、現在であれば思いつきもしない物同士のあいだの類似性が深い意味をもった。トリカブトの花は、人間の眼球に似た形状をもっており、クルミは頭蓋骨と脳のような形状をしている。したがって、トリカブトは眼病に効き、クルミは脳病に効く、というわけである。このように少しでも似ている物同士のあいだにネットワークがひかれ、複雑な世界に秩序が想定される。

類似性という関係は、自然界の諸物と人間の身体の部分とを結びつけるだけではない。それを延長していけば、人体と宇宙の天体とのあいだにも紐帯が生まれる。こうして、一六世紀のひとびとにとっては、宇宙の秩序と自然の秩序、人体の秩序が、各部分ごとに対応しあうようにして重ね書きされる。こうした、大きな全体と小さな全体とが、部分同士で関係し合う構造を、「マクロコスモス／ミクロコスモス」とよぶ。エピステーメは、各時期の哲学にも反映している。クザーヌスなど、一六世紀以前の思想家たちにとってはマクロコスモス／ミクロコスモスがすべての基本であった。

一七世紀における世界の秩序とは表象の秩序である。植物の花など、可視的表面が、すべてを秩序づけるための足場であり、地球上にどれだけの植物種があろうと、それは、可視的構造における要素の増減などにしたがって順序正しく配列されるものと考えられたのである。表象という平面に順序正しくならべられ形成された図表（タブロー）に、古今東西のすべての植物は位置を占めるものと考えられたのである。

この時代のデカルトやスピノザ、ロックなどの哲学は「観念の道」とよばれる。たとえばデカルトは、人体を含む自然の諸物を「延長するもの」ととらえる。ネコでもヒトでも鉱物でも天体でも、自然界の諸物とは、それがどれほどの大きさをもち、どれだけの空間をしめているかという、計量可能な拡がりだけが問題であり、それに尽きるものとデカルトは考えたのである。これは物指しで計量可能かどうかという、可視性の観点からのみ諸物を把握した結果だ。

また、デカルトにおける「神の存在論的証明」においては、神の観念に含まれる「存在」が証明の決め手となる。すなわち、神の存在を証明するためにデカルトは、神は完全であるという前提から出発する。悪であるより善であることが、無知よりは知が、無能よりは万能がより完全であるから、これらの述語は神に帰属する。同じように、非存在よりは存在の方がより完全だ。それゆえ、神には存在するという述語が付され、神は存在する、とするのがデカルトによる神の存在証明であった。

これにたいして、後のカントは、「善い」「万能である」「全知である」といった、ものの性質を表す述語は、なにものかの概念に確かに属しうるけれども、「存在する」という述語は、そのようにある概念に実質的に含まれる述語ではない（「レアルな述語ではない」）と指摘した。それゆえ、デカルトがしたように、神の完全性という概念からその存在を導くことはできないのである。デカルトによる神の存在証明はカントによって否定され、以降、このカントの考えが哲学史上では受け入れられている。

だが逆に、なぜデカルトが、「存在する」という述語すらも神の概念すなわち表象に含み入れたかも考えてみなければならない。その答えは、フーコーのいう一七世紀のエピステーメから見て取ることができる。すなわち、一七世紀のひとであるデカルトにとって概念すなわち表象こそが唯一のリアリティであり、それゆえ、存在を含む一切はその次元に属するものと考えられたのであった。

一九世紀にいたると、表象される可視的表面の背後にある不可視で不透明なものとしての機能や組織が、秩序化の原理となった。一八世紀末の人であるカントにとって、表象の組織化の原理は、〝因果の概念〟という不可視のものにあり、その結果、かれにとっては、表象の秩序と客観の秩序とは区別され、さらにそのすべてを超越した「物自体」が要請される。

各時期において、ひとびとの視線や考え、言葉づかいは、その時々のエピステーメによって規定され、指定され、限界づけられている。エピステーメは、その時々の学問を可能にすると同時に、その限界をも設定する。だが同時に、エピステーメのあり方ゆえに、当初は想定もされていなかった事柄が生まれた。

（2） 生命と人間の誕生

可視的表面という表象のタブロー化に終始した一七―八世紀の知にたいして、一九世紀の知は不可視の組織・機能に定位したものであった。その結果、当初は想定されていなかったさまざまな事柄が生まれてくることになる。

生物学においては、各器官の機能が問題になった。その結果、器官同士の機能的連携、環境と器官との機能的連携という知覚が生まれ、気候の変化や動物の移動など、環境の変動に応じて器官のあり方も変化しうるということが容認される。こうして「進化」という観念が登場する余地が生まれたのだった。

ところで、進化、あるいは一般に変化という言い方をするとき、それはかならず「なにものか」の変化である。青いリトマス紙は酸に触れて赤く変色し、西の空は夕刻が近づくにつれて青から赤へと変化する。そのとき、はじめ青かったリトマス紙や空が、酸の影響や時の経過とともに赤く変化する。変化は必ず変化する主体や実体を前提する、というのがヨーロッパ人の考え方であった。

同じように、水中で暮らしていた両生類が、やがて陸上で暮らすようになり、ウロコや肺が発達して爬虫類が生まれた、といった場合でも、こうした器官や解剖学的構造の変化が生じるための主体や実体が存在しなければならない。動植物の進化は「種の保存」のためと言われている。そのように言う場合には、変化や進化の前後を通じて、「種」という同一的なものが存続していることになるだろう。だが、そもそも進化の過程で新しい種が生まれたり、爬虫類や鳥類が生まれた場合のように新たな類が生まれたりする場合、それはもはやひとつの種の変化とは言えない。地球上に原始的な有機体が生まれて以来、現在にいたるまでの進化全体を考えるならば、その主体や実体を種というのは狭すぎるだろう。こうして、すべての進化の主体や、それについて変化が生じるところの実体として想定され、あるいは要請されたのが「生命」という存在である。いちど「生命」が認められれば、そもそも、鰓《えら》呼吸から肺呼吸が生まれたり、ウロコが変化して鳥類の羽根となったりといった変化、進化がなぜ生じるかというと、それは「生命」が死に絶えることのないためとされる。「生命」は、すべての進化の原因とみなされるのである。

別の学問においても同じようなことが起こる。商取引や経済現象についての学問である経済学においては、一九世紀以降、ひとびとの「労働」がすべてを説明する原理となる。

マルクスは、商品の値段を決定するのは、その商品を生み出すために費やされた労働者の労働時間であるとし、商取引における価格決定という表面上の出来事の背後に、「労働」という原因を想定した。

また、言語学においては、「言語」そのものが、生命をもつ実体と考えられた。ラテン語のような「老いた言語」、英語のような比較的「若い言語」といった言い方が生まれたのである。

「労働」や「言語」は、「生命」と同じように、さまざまな個別的現象を生み出す原因、主体、母胎と考えられたが、その実体が何ものであるのかがはっきり語られることはなかった。その実態は不明のままでありながら、その存在をだれも疑わず、それどころか場合によって、その存在を疑うこと自体が人非人《にんぴにん》の仕業扱いされる。

さらに、「労働」や「言語」はそれだけで生まれるものでも、存続しうるものでもない。「労働」は、誰かの労働だし、「言語」は、誰かが話したり、書いたりする言語である。また、「生命」の進化がたどったのと同じような長い歴史を「労働」や「言語」ももつ。「労働」は古代のピラミッドを造るための労働から、農園での労働、工場での労働へと変化した。「言語」も同様だ。「労働」や「言語」がこうした歴史を持つ、ということは、それが

図7　19世紀のエピステーメ（ものの内部の組織や機能まで目が届くが、さらにその大元となる生命、人間その他を想定してしまう）

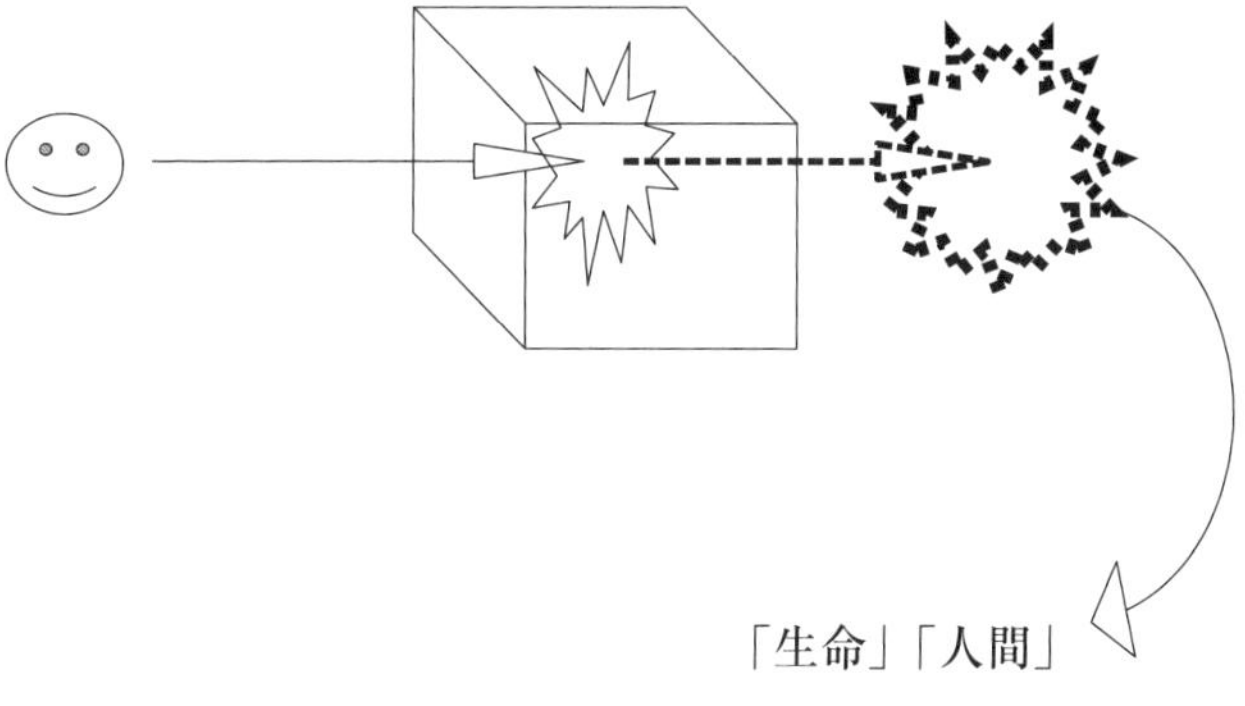

生まれる前の状態をも想定しうるということである。「労働」や「言語」が生まれる以前と以降では、なにかに変化が生じたのでなければならない。また、それは「労働」「言語」を生み出すものでもなければならないだろう。「労働」「言語」の主体、それを生み出す実体とはなにか。「人間」に外ならない。それは、また「生命」をもつもの、「生命」の進化の頂点でもある。こうして、一九世紀のエピステーメにおいて生まれたのが「人間」であった。【図7】

こうして誕生した「人間」は一九世紀のエピステーメにおいてきわめて特異な位置を占める。

「生命」「労働」「言語」は「人間」なくして存在しえない。

とはいえ、その「人間」がいかなるものなのかは当面明らかではないために、それを明らかにするための人間学や人類学、心理学などといった「人間」についての学問が、一九世紀においては雨後の筍《たけのこ》のように生まれる。また、「労働」「言語」「生命」それぞれが固有の歴史性をもつために、「人間」もまた歴史を持つ。「人間」は歴史の流れのなかに生まれた有限の存在にすぎないが、それがどのような存在であるのかが一九世紀においてはひとびとの学問的営みの中心となったのだった。

一方、その心理学や人類学、人間学、あるいは、自然についての学問としての自然科学などは、人間の知性が作る学問である。ところが、人間の知性がしたがうべき原理、原則は、先に述べたとおり、人間の理性が策定する。また、その原理、原則を定めるための議論もまた、人間理性によってなされなければならない。こうした、通常の知性がしたがうべき原理原則を定めるための原理原則を論じる立場を「超越論的」哲学とカントはよんだ。カントは一九世紀ヨーロッパの知を先取りしていたことになる。

(3)　人間の「誕生」

ところで、ここで当然、疑問が生じてくる。フーコーは、「人間」が一九世紀のエピステーメにおいてはじめて生まれたと言う。だが、それ以前から、すでに人間はいたのではないか、と誰でも思うだろう。

一八世紀以前といえば、日本では元禄時代だが、その時代はまさに近松門左衛門や徳川家康などが作った時代だし、それ以前の織田信長や足利義満、源頼朝、紫式部などに代表されるようなひとびとが平安時代など、それぞれの時代に生きていた。それはヨーロッパはじめ、諸外国においても同様だ。それどころか、日本で言えば縄文、弥生時代、それ以前のジャワ原人など人類の始まりははるか数万年前にまでさかのぼりうるだろう。この前の項のタイトル「生命と人間の誕生」という言葉からふつう誰もが想定するのは、百数十万年前、数億年前の地球上における「生命誕生」「人類誕生」の瞬間だろう。

だが、ここで考えてみなければならない。フーコーが明らかにしたのは、たとえば同じ動植物を対象にしていたとしても、一六世紀のひとびとは、それにかんする伝承や伝説を問題にしており、一七世紀のひとびとは見た目の特徴しか問題にしていなかったということである。「生命」という観念は、その当時においては存在しなかったし、それは「人間」という観念についても同様である。

一方、「人間」という言い方がなにを意味しているのかを考えてみなければならない。おなじひとりの人について、そのひとは「人間」であると言うこともできるし、「人類」であるとも言えるし、「個人」であるとも言えるし、あるいは「人物」であるとも言えるだろう。だが、そのそれぞれにおいて、暗に意味されるものは異なっている。だれかが「人類」であるという言い方は、地球外生物を前にするような状況においてしか言われないかもしれない。「個人」と言えば、そのひとの自由を公的権力などに対して保障しなければならないという文脈が想定されているだろう。「個人の自由」という場合と、「人類の自由」という場合とでは、だいぶ意味が異なる。だれかについてどの言い方がなされるかは、その背後に想定されている文脈や理論、状況が異なるのである。「人類」という場合には、生物学的、異種間交渉的な文脈や理論が、「個人」という場合には、社会的な政治や社会学的状況が、「人物」といった場合には歴史に残るような重要な位置づけか、司法的な役割が念頭におかれるだろう。誰かについて「人間」という述語を用いた場合にも、特定の意味やニュアンスが生まれる。すなわち、それは単に、解剖学的、生理学的に「ヒト」であるということではなく、理性や責任能力を持ち、それだけに尊厳を認められるような存在だ。このような概念がうまれたのが一九世紀のヨーロッパ的エピステーメにおいてのことであった、とフーコーは主張したのである。

実際、近代哲学の創始者とも言えるカントは、哲学の問いとはなにかという疑問に答えて、「わたしはなにを知りうるか、わたしは何をおこなうべきか、わたしはなにを望みうるか」という三つの問いをあげ、そのうえで、この三つの問いすべては「人間とはなにか」という問いに集約される、と述べている。哲学においてこのような発想は、それ以前だったら考えられないことだ。そして、先に述べたとおり、人間をその解剖学的構造や文化からあつかう「人類学」や「人間学」、人間社会の過去を問題にする「歴史学」、人間の心を扱う「心理学」などが生まれたのであった。宇宙や世界、社会、倫理など、およそあらゆる場面において、神や自然、運命などではなく、人間を中心において考える「人間中心主義」が生まれたと言ってもいいかもしれない。

（4）人間の死

とはいえ、二〇世紀にはいったとき、ふたたびヨーロッパのエピステーメは変形をとげる。フロイトにはじまる精神分析、レヴィ＝ストロースなどに代表される文化人類学、ソシュールが一大転機を画した言語学など、新しい学問、新しい方法論が生まれたのである。この三つの学問に共通するのは、前世紀に誕生した人間の抹消であった。

精神分析学においては、幼児期の両親との関係においてひとは「自我」を形成するが、それは盲目的な欲動と社会の掟とのあいだで翻弄される「荒馬乗り」のような存在にすぎない。

人類学は、中央アジアや南米、アフリカ、ニューギニアなどにおける「未開」のひとびとの行動規範を調査する。その結果として明らかになったのは、地球上の各地に散在し、相互の交流もない諸部族のあいだで、ひとびとの行動を支配する「タブー」などのシステムに多くの共通点があり、各地の行動規則が総体として、まるでひとつの構造を作っているかのように連動しているということだった。ひとびとはそれをただ受け入れて暮らしているにすぎない。すなわち、ひとびとの行為を決めるのは各自の主体的な判断ではなく、目に見えない構造なのである。

言語学が明らかにしたのもまた、日本語や英語などの言語が全体としてひとつの構造をなしており、われわれはその全体を俯瞰《ふかん》して知り尽くすことはない、ということであった。われわれは現代日本語に漢字がどのくらいあるかを知らないし、文法規則を挙げることもできない。だが、日本語で話したり、書いたりするとき、われわれは知らず知らずのうちに日本語の規則にしたがっており、その構造によって言語活動が可能となっているのである。

こうして、精神分析学、人類学、言語学という二〇世紀に新たに生まれた諸学問において、「人間」はもはや中心的な地位を占めることがなく、むしろ構造という網の目の一環、一項として場所を割り振られているにすぎないことになる。

フーコーによれば二〇世紀以降のエピステーメがどのようなものであるかを語ることはできない。それは、語っているフーコー自身、あるいはわれわれ自身がそれに巻き込まれているからだ。だが、「ひとつだけ確かなことがある」とフーコーは言う。すなわち、一九世紀に生まれ、すべての中心の地位を占めた人間が、やがて「波打ち際の砂に書いた顔」を次にきた大波がかき消すように、消滅することなのである。

一九世紀のヨーロッパ的エピステーメにおける「人間」の誕生と、二〇世紀における「人間」の死こそが、『言葉と物』という浩瀚《こうかん》な書物の要点である。フーコーのこの主張は、フランスをはじめ各国におおきな波紋をよび、『言葉と物』は半年間に二万部近くというこの種の書物としては異例な売れ行きを見せた。

だが、フーコーの主張に疑問を持つひともいるかもしれない。「人間」という概念、人間中心主義という考えが一九世紀に生まれ、二〇世紀になってその役割に疑義が生じたと言っても、それはたかだかヨーロッパのいくつかの学問という狭い世界における話にすぎないではないか、と思われるかもしれない。それは、「人間」という概念にかかわる話にすぎず、ひとびとの日常にかかわることではないように見えるだろう。

だが、『言葉と物』においてフーコーがおこなったのは、彼が明示的に述べた事柄に尽きるわけではない。なるほど、一九世紀に生まれ、二〇世紀に死んだのは、ヨーロッパ的人文科学における「人間」概念の有効性だったろう。だが、「人間」という言い方がなされるようになるはるか以前から、人間の営みとしてはもっとも知的なものであるはずの学問という場所において、名の知れた科学者たちの思考や言葉づかい、感覚、知覚、つまりはあらゆる知的な活動、知性の行使が、その科学者たち本人ではなく、かれらが否応なしに巻き込まれているエピステーメをその主体としていること、それが最大の問題なのである。リンネやキュヴィエ、あるいはアダム・スミスやマルクス、フロイトといったひとびとの思考や発言は、その人たちが生みだしたものとされている。だが、彼らにそのような知的活動をおこなうことを可能にしたのは、その都度のエピステーメであった。リンネに花の構造を、キュヴィエに組織と機能を見ることを可能にしたのはエピステーメだったのである。その著作などにおいて語っている主体は、たしかにリンネでありキュヴィエであるように見える。だが、実際に話しているのは、こうした主体としての誰かではなく、エピステーメという目に見えない構造なのである。リンネやキュヴィエは、この仕掛けのなかで、いわば腹話術師の人形のような役回りを与えられているにすぎない。

レヴィ＝ストロースは、ニューギニアや中央アジアなどの「未開人」が、西洋におけるものとは異なるけれども独自の知的活動をおこなっていることを指摘しつつも、かれらの行動が目に見えない構造に支配されていることを明らかにした。それを「人間の尊厳」の侵害であると考えたひとびとは、「未開」と「文明」とを区別して、ヨーロッパ社会においてはひとびとの行動や思考を支配する構造は見られないと主張したのであった。ところがそれにたいしてフーコーが示したのは、そのヨーロッパ社会においても、ひとびとの行動や思考は構造によって支配されていること、ただ、ヨーロッパにおいてはその構造が時を経るにしたがって再構造化されていく過程が見られることだったのである。精神分析や人類学、言語学が端緒となった「人間の死」に『言葉と物』は最後の仕上げを施したのだった。

だが、そうはいってもなお疑問は残るかもしれない。『言葉と物』において扱われたのは学問の世界のことであり、それはわれわれの日常とは関わりないことのようにも見えるからだ。誰もがかかわっている日常における密かな構造を暴き出したのが、『監獄の誕生』（一九七五年）、『性の歴史Ⅰ』（一九七六年）における権力論である。

第三章　パノプティコン——自己規制によって作られる自我

権力というと、武力や財力、地位などを利用して、ひとびとを自分の意のままに従わせる存在や、そのための制度などを思い浮かべるのがふつうだ。だが、『監獄の誕生』『性の歴史Ⅰ』におけるフーコーは、とりわけ近代以降においては、それとはまったく異なる、より巧妙な権力の形態が支配していたことを明らかにする。

ヨーロッパ近世までのものは「死の権力」、近代以降のそれは「生の権力」とよばれる。以下、それぞれを見ていこう。

1　死の権力

死の権力は、われわれが通常思い描く権力に近い。

たとえば、ブルボン王朝の創始者アンリ四世以降のフランス絶対王権下において、国王の法令の背いた犯罪者への刑罰はきわめて過酷であった。フーコーの挙げる例はつぎのようなものである。

一七五七年三月二日、国王暗殺を企てたダミアンという男は、パリのノートルダム寺院正面大扉前で、手足の鎖に一頭ずつ、計四頭の馬をつながれ八つ裂きの刑に処せられた。とはいえ、人間の手足の腱は思いのほか頑丈なので、馬が引っ張ったくらいではちぎれない。手足を引っ張られて苦しむダミアンはなかなか死なず、その間に聴聞の僧侶が彼に話しかける暇さえあった。何時間かかっても埒《らち》があかないため、死刑執行人が裁判所に許可を求めてやっとダミアンの手足を刃物で切り落とし、刑は終わったのであった。

ここでいくつか重要な点がある。現代であれば、いかに国家転覆を謀った者であっても、懲役刑に処せられるのがふつうであり、かりに死刑判決がでても、それは密室での絞首刑その他、できるだけ簡単にその生命を停止する措置が執られる。ところが、一七世紀におこなわれたこの処刑は、犯罪者の身体に直接働きかける「身体刑」であり、しかも、パリの市庁舎や法務院直近のノートルダム寺院前という、パリ市の中心部でおこなわれた「公開刑」であった。ダミアンの処刑は、パリ市民に告知され、多くの観客が集まった前で執行されたのである。ダミアンは国王暗殺という、当時にあってはもっとも重罪に当たる行為をしたため、その刑罰も当時にあって考えられるもっとも重いものだった。だが、公開の身体刑というシステムは、当時にあってはごく当たり前のものだったのである。

（1）　身体刑

まずこれが「身体刑」という形をとったのはなぜだろう。ここで当時の、「王権」にかんする考え方を見なくてはならない。

ポーランド出身の社会歴史学者エルンスト・カントロヴィチによれば、絶対王政下における国王は「ふたつの身体」をもっていた（『王の二つの身体』平凡社）。ひとつは生身の、死すべき身体であり、もうひとつは、王権を継承する者としての「象徴的身体」である。

たとえば、ある国王が遠征先で不慮の死をとげ、後継者がまだ即位できないような場合には、なるほどその国王の生身の身体は棺のなかに安置され、死者としてあつかわれるが、その棺には国王の肖像や旗幟《きし》が飾られ、象徴的身体としてはまだ機能している者としてあつかわれる。それは当該王家の創始者以来継承されてきた「国王としての身体」であるがゆえに、後継者に譲り渡されるまで、死ぬことはないのである。

こうした考え方は、当時のカトリック教会の考えを利用し、それを世俗化したものである。ヨーロッパをはじめ各地に司教区をもち広大な地域と莫大な信者を統括する教会組織は、イエズス・キリストの身体を現世に具現化した、もうひとつの身体と考えられていた。ローマ教皇は、イエズスの代理として教会組織全体の「頭」であり、司教、司祭はその内臓、末端の信者はその手足、教皇に発する布告は、全身に循環する血液であるというのである。キリスト教会のこうした考え方は、世俗の国家にも適用される。そこでは、国王が頭、貴族や行政官が内臓、農民その他が手足、そして、国王の法令が血液とみなされ、その全体が、国家＝国王の身体なのである。「朕は国家なり」というルイ一四世（一六三八―一七一五）の発言は、文字通りのものと受け止めなければならない。その結果、国王の〈象徴としての身体〉は、国王その人の物理的身体にその範囲を限定されたものではなく、その支配する領地の全体に及ぶものとなる。

犯罪者への刑罰が身体刑でなければならないのは、こうした考えが国家統治そのものの背景にあったからだ。すなわち、どんなに些細な法令であっても、それに反した者は、すなわち国王の血液、その循環する身体に害を及ぼしたことになる。まして、国王その人を暗殺しようとした者は、国家＝国王という身体の根幹に危害を及ぼした。それゆえ、それに対する刑罰は、その者の身体を対象にしないわけにはいかないのである。

（2）公開刑

それではなぜ処刑は「公開刑」でなければならなかったのか。

およそ国家の統治者にとってまず必要なのは、だれが支配者であるかを、その領地の住民などに周知することである。その目的のため、とりわけ近世においては「見せ物」「スペクタクル」が利用された。

フランス国王は、伝統的にランスの大聖堂で戴冠式をおこなうが、その後、パリ市にいたる道行きは国王を中心としたパレードとなる。有力貴族や僧侶、各職能集団の代表者などからなる行列が、ランスからパリまでを行進し、パリ市の門ではパリ市長と市民の代表がそれを迎える。即位の式典や祝祭においては、壇上に座る国王を、側近や有力貴族、僧侶などが囲み、観客席にはやはり各職能集団その他が着席する。

ルイ一四世はヴェルサイユ宮殿を建築したが、かれは当時有数の舞踊の名手でもあり、その庭園や宴会では、国王が自ら主人公となって舞踊劇(「宮廷舞踊」)などが上演された。ルイ一四世の統治後期においては、国王が朝、目覚めて着替えをし、朝食をとる行為すべてに、王の側近である大臣その他が付き随い、寝間着を脱がせる役、下着を差し出す役など、すべて詳細に定められていた。そしてその一切は、宮廷のメンバーの目の前で執り行われたのである。

祝典における席の序列や朝の儀式における役割は、国王とその臣下との距離の遠近、宮廷におけるその人物の重要度に対応しており、したがって、席の序列や各自の役割の変動を見れば、宮廷政治においてどのような地位の変動があったかを一目で見て取ることができた。

ルイ一四世の舞踊劇においては、それまで反抗的な立場をとっていた有力貴族が、アポロに扮した国王にひざまずくシーンがあり、それを見た宮廷人たちは、国王がようやくその統治を完成したことを知ったという。すなわち、こうしたスペクタクルは、すべて、だれがその土地、国家の統治者であり、また、それに付き随っているのがどれほどの有力人物たちであり、その序列がどのようになっているかを、いちいちひとびとの目の前で実演し、国王の支配を確立、確認し、あるいは強化するための装置なのである（アポストリデス『機械としての王』）。ちなみに、こうした仕掛けは明治国家初期における天皇の行幸や肖像画制作、プロイセンによるドイツ統一時の式典や記念碑建立（モッセ『大衆の国民化』）、冷戦下のソヴィエト連邦、さらに現代の中華人民共和国や北朝鮮でもおこなわれている。

こうした体制において、犯罪者への公開刑は特別の役割を持つ。すなわち、それによって宮廷人や有力者ではない一般大衆にたいして、国王の法令に逆らった者がどのような刑罰に処されるのかをひろく周知することができた。ここでは、犯罪者が、その犯罪の現場を再現するような仕方で処罰され、その結果、いかなる犯罪をおかせばいかなる刑罰をうけることになるのかが視覚的に示される。それは、その後、同じ犯罪が生じないための「見せしめ」になると同時に、法令を発し、それを犯した者には刑罰を与える権限と能力が統治者である国王にはあることを広く示すスペクタクルとなる。公開刑はこうして、国王の統治権を確立し、確認し、強化するための装置だった。

（3）透明な権力者と不透明な大衆

このように、不服従者には死をもって報いることを周知することによって、法令の効力を確保し、ひとびとを服従させるのが、フーコーの言う「死の権力」である。ここでは、支配者、統治者の姿や名前はさまざまな仕方で周知され、まったく透明な存在となる。すなわち、かれらの存在や容貌に関してはなにひとつ隠されることがない。かれらは、スペクタクルの中心に位置し、その肖像画や彫像が裁判所など公的機関、あるいは広場の中心などに掲示され、コインや紙幣などに描かれ、場合によってはもっともプライベートな姿まで公衆の目にさらされるのである。一方、ここで、その支配力がおよぶところの大衆は、まったく匿名の存在である。近世のヨーロッパ社会においては、住人基本台帳なども整備しておらず、どこにだれがいるのかも登録はされなかった。各自は、それぞれの職業や地域ごとに相異なった技量を身につけ、相異なった言語を用いていたのである。そのような人々に、死の恐怖をもって最低限の法令を遵守させ、それによって社会としての秩序を維持していたのが「死の権力」だ。【図8】

図８　死の権力

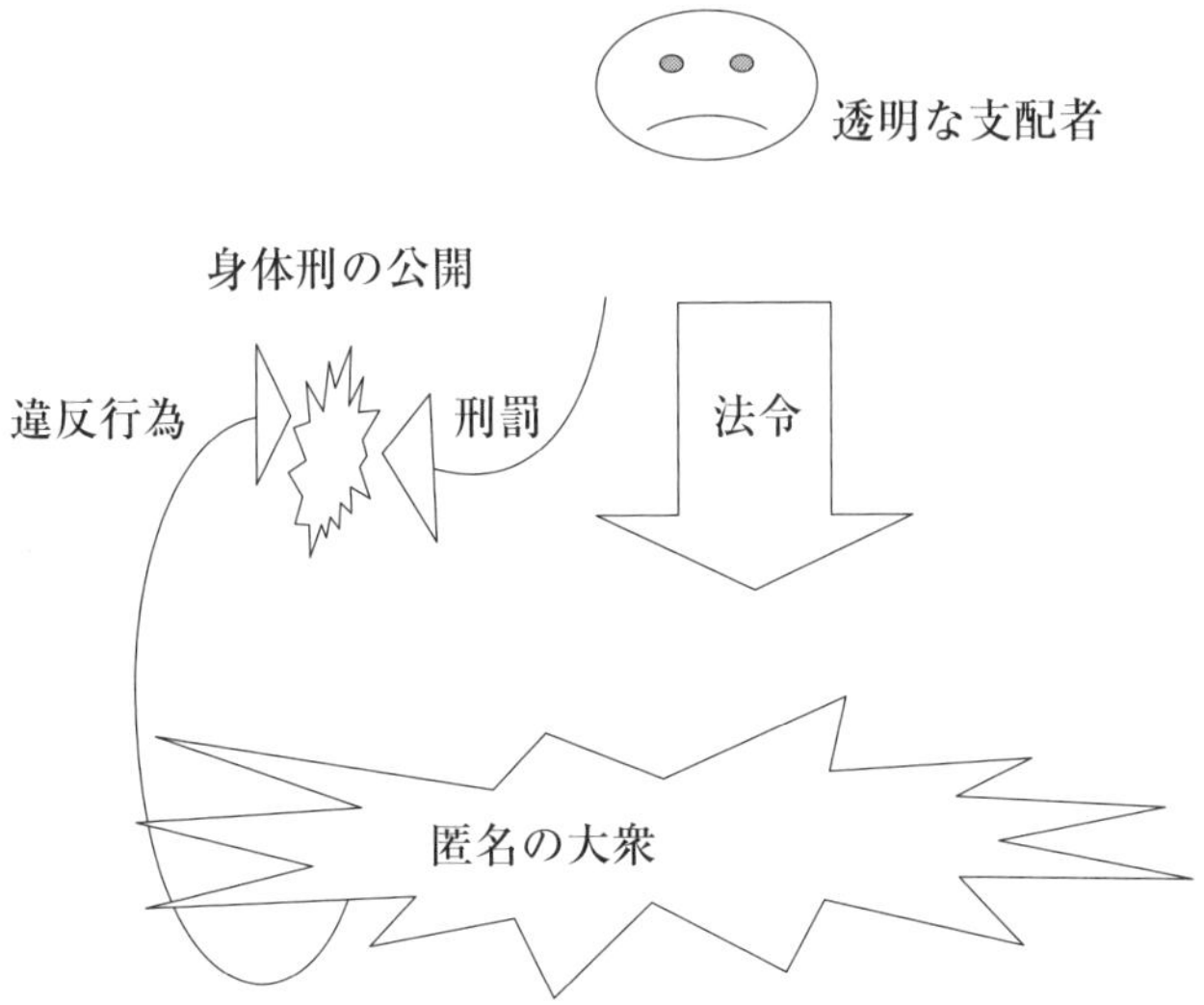
透明な支配者
身体刑の公開
違反行為
刑罰
法令
匿名の大衆

2　生の権力

「死の権力」は、われわれがふつうに思い描く権力のイメージに近いものである。ところが、それとはまったく異なるあり方をした権力が、一八世紀末以降のヨーロッパ社会に生まれる。

（1）　網の目の緻密化

たとえば、工場や石切場のような作業施設、軍隊、学校などにおいては、ある時期以降、作業員や兵士、生徒たちを一定の宿舎で共同生活させるようになる。そこでは、各人の寝台、座席、持ち場などがはっきり定められ、また、起床、就業、食事、就寝などの時間も徹底される。兵隊や作業員の宿舎は高い塀に囲まれ、規定時間外の出入りは不可能なようにされた。

さらに、とりわけ軍隊においては、従来、もともと軍人の子弟であったり、村落などで力持ちとして知られていたりした屈強な男たちのみを集めて師団が編成されていたのにたいして、ある時期以降は、かならずしも「兵士むき」ではないような者まで徴収され、軍隊に編入されるようになる。軍隊では、小銃を担いで行進したり、担いでいた小銃をできるだけ早く構えたりするためにどのような所作が必要であるかのマニュアルが作られ、その通りに訓練が施される。

とはいえ、もちろん兵隊にしても生徒や作業員にしても、百人いれば百人ともその体格や体力、知力などに差異がある。そのため軍隊などにおいては能力に応じて部隊や学級などが編成され、標準以下の者たちは、一番下のクラスからはじめてできるだけ早く、より上のクラスへとあがるよう指導された。そこでは、何人かのグループを作って、上級の者が下級の者を指導し、教官の目が部隊や学級の全員に届かないところを補完するのであった。

（2）生きている近代：学校

フーコーが述べているこのシステムの好例は、われわれにとって、きわめて身近なところにある。学校教育だ。

近代の学校教育は、一定年齢の国民全員に義務として課せられている。学齢にたっした子供が、小学校に通うようになってまず身につけなければならないのは、国語・算数・理科・社会のような教科内容ではない。それと同時に、あるいはむしろ、それ以前に、時間、空間、身体にかんする自己管理を身につけなければならない。

生徒は、朝礼に間に合うよう、定時に家を出て、決まった通学路を通って学校まで行かなければならない。下履きを履き替えるなどして、かれらは学年学級ごとにさだめられた場所で、身長順男女別など定められたとおりに整列する。

整列にあたって、立つ姿勢（「気をつけ」「やすめ」）、前後の生徒との間隔（「前へならえ」）などは、あらかじめはっきり規定されている。学級単位で行進をするときには、「おいちに、さんし」のリズムで、右手左脚、左手右脚を交互に前に出す歩き方をしなければならない。

朝礼が終われば、一時間目は国語、二時間目は算数、などといった仕方で「時間割」が定められている。一学級四五人なら四五人の生徒が、いっせいに国語なら国語の授業に取り組むのである。その際、生徒各自が時間ごとにすごす教室、すわる座席などもあらかじめ定められている。四時間目が終われば給食もしくは弁当の時間になる。午後の授業が終われば、校庭で遊んだりもできるだろうが、下校時間は守らなければならない。

授業でまなぶ教科内容にかんしては、ときどき「試験」がおこなわれて、各生徒の理解度が測られる。各自の試験は採点され、点数は生徒ごとに集計されて「成績」がつき、場合によって、その成績は学年ごとに張り出されたりなどして各自の「席次」（「学年一番」など）が明示化される。席次は、クラス編成や学級内での座席の位置などに反映されて、文字どおり席次となることもある。

（3）規格化

こうした一連のシステムにおいてなにがおこっているのだろう。近代的義務教育によって、生徒の全員は身体所作、時間空間管理、考えや言葉遣いの仕方などについて、全員が同じやり方を規律として身につけることになる。立ち方、歩き方をはじめ、ノートをとるときなどの書写姿勢などは、時間空間の使い方など、すべて、生徒全員がおなじようにおこなえなければならない。朝礼に遅れてはならない、といった仕方で「遅刻・早退」という観念もこうして身につくことになる。

「遅刻」「時間厳守」といった事柄は人間として当然のことだと思うかもしれない。けれども、こうした概念自体、必ずしも無条件に自明なものではない。たとえば、明治時代に、鉄道建設などのためにやってきた「雇われ外国人」は、日本人が時間を守らないことに、一様に腹を立てた（橋本毅彦／栗山茂久『遅刻の誕生』）。江戸時代までは「時刻」という概念が現在のものとは異なっており、たとえば「巳《み》の刻」といえば、（だいたい）午前十時から十二時までの二時間を指していた。それゆえ、「巳の刻に集まろう」と言っても、それは十時ぴったりのことではなかったのである。もっとも、明治の日本人に憤慨していた欧米人自身、遅刻や時間厳守といった概念を行動の指針とするようになったのは、明治維新のわずか数十年前のことだったという。国民全員がそのような観念を持つにいたったのは、鉄道が普及し、わずかな遅れが深刻な事態を招く状況が生じたからだった。

身体所作もまた、学校で教えられるものが唯一というわけではない。たとえば歩行法を見てみよう。日本の近代化以前の歩き方を、劇作家武智鉄二は「ナンバ歩行」とよんだ。ナンバは右手右脚、左手左脚を順次前に出す歩き方と言われている。こうした歩き方は現代では滑稽なものと見られるだけだが、実際には思いの外すぐれた身体所作であることが最近では主張されている。日本人にとって西洋式の「マーチ歩き」がふつうになったのは、明治期以降、軍隊並びにそれと連動して学校教育において、大人数が二拍子で歩くのに適したマーチ歩きが、いわば強制的に国民にすり込まれたからにすぎない。だが、相撲取りの動き方はナンバであり、それは前に押す力を最大化するのに役立つからである。あるいは、陸上競技世界選手権で日本人としてはじめてメダルを取った末續選手の走り方はナンバである。江戸時代の飛脚はナンバで走っていたのであり、それは速度を出しながら疲労を押さえるすぐれた走法であったというのである。とはいえ、ごく最近の研究によれば、明治期以前の歩行法は職種ごとに多様であり、同じ職人でも大工と桶職人とではちがうし、農民と漁民、猟人、武士など、それぞれまったく相異なる歩き方をしていたという。

まして、使っている言葉は地域ごとに異なり（「方言」）、歴史や地理の知識、自然現象にかんする知識（「夕焼けは晴れのしるし」など）も、地域や職種ごとに多種多様であったはずだ。

このように、たとえばおなじ国の住人であっても、地域や職種、場合によっては階級その他に応じて、極端に言えば個人個人すべて、暮らしのリズム、身体所作、言語活動、さまざまな知識などにかんして多種多様でありうる。まして、保育園や幼稚園などなかったころ、小学校就学前の幼児は各家庭、地域ごとに相異なった仕方で育てられ、あるいは育っていたであろう。起床、就寝、食事時間などは家庭ごとに異なり、歩き方、走り方などもさまざまであったはずだ。

こうして、放っておけば各自、てんでばらばらでありえた身体所作、時間空間の把握や管理の仕方などが、学校教育によって、全員に同じように共有されるようになる。また、教科内容が全国民に共有されれば、出身地の異なる国民同士でもかなりの程度「話が通じる」ようになる。たとえば「オゾンホールが拡大すると紫外線の危険があり、二酸化炭素が増えると温暖化が進むので、フロンガスや二酸化炭素の使用は控えなければならない」などといった内容のことを政府による政策説明、マスコミやジャーナリズムによる報道などによって伝えられたとき、オゾンやフロンといった元素の構造、あるいはそもそも元素というものがあるという化学的な知識が国民に共有されているからこそ、政府公報や報道は比較的容易に流布されうる。

学校教育とは、放っておけば多種多様でありうる各自の行動・思考様式を「規格化」(フーコー)する装置なのである。しかも近代国家においては学校教育が「義務化」されている。公立私立を問わず、学校教育はかならず国民全員が一定年齢において一定期間、通過しなければならない場所だ。近代教育が制度として導入されたとたん、その何年か後までにはかならず、全国民はみな同一の「規格品」として世に送り出される。全員がおなじように規格化されるのだ。

(4) 可視化

しかも、学校教育においては、生徒全員が「可視化」される。

子供のひとりひとりは、生徒として、その名前や住所が名簿に登録されるだけではない。身体検査で身長体重その他の身体的特徴、疾病の有無などが計測、診断されて記録される。

一方、各自がこうして登録され、身体所作や生活習慣、教科内容の指導がなされたとしても、その生徒についてすべてがわかるわけではない。その子どもの頭のなかでなにがおこっているかはこうしたやり方ではなにもわからないのである。そこで登場するのが試験だ。教室において、いかに教師が生徒に質問をし、質問を受けても、各生徒がどれほど教科内容を理解しているかは顔を見ているだけではわからない。ところが試験をすれば、それが一目でわかることになる。試験や点数というのは、それなしには不透明、不可視にとどまる各生徒の頭の中身を透明化する装置だ。しかも、成績がつけられ、席次としてタブロー化されることによって、各生徒が同じ学年の生徒全員のなかでどの程度の位置を占めているかも透明化されることになる。

ちなみに学校教育が埋め込まれた近代国家もまた、そのメンバー全員を「可視化」する装置である。子供が生まれればかならず「出生届」をだして「戸籍」や「住民基本台帳」に登録されなければならない。その台帳にもとづいて、「学齢」に達した子どもの保護者には教育委員会から通知がとどき、かならず学校へ通学しなければならない。その後、結婚、出産など節々において届け出は必要だ。こうして、「国民」の全員が、原則上、一人残さず、国家の成員として、その名前や住所その他がリストアップされる。

(5) 生の権力

このように機能するのが近代国家における「生の権力」である。そこでは、メンバーの全員が規格化され、透明化される。これは一見すると「権力」という名にはふさわしくないものにみえるかもしれない。だがそれは前近代的な「死の権力」だけを権力とみなしているからだ。だが、「死の権力」をみても、権力の機能はつぎの二点にあることがわかる。

第一に、権力とは、各自の行動や思考を、当人の外部から制御するものである。近世の農民や商人、あるいは貴族は自分の利益追求のために、枡目をごまかすなどいくらでも悪事をはたらいただろうが、それを禁じる王令があればその行為を慎む。

第二に、こうしてその権力がおよぶ地域、住人のあいだには一定の秩序がうまれる。枡目をごまかして商売をする者がいれば、その被害者によって暴力沙汰などもおこりえただろうが、王令によってフェアな商売がおこなわれていればそのようなことはおこらない。すなわち、権力とは社会、地域、住民のあいだの秩序生成維持装置である。

権力とは、簡単に言えば、ひとびとの行動や思考を司るものなのである。

もしそうとすれば、それを実現するのになにも死の脅迫をもちいる必要は、かならずしもない。秩序が不安定になるのは、ひとびとの思考行動様式が相異なることによる。逆に、国民全員が透明化、規格化され、全員が、多かれ少なかれ共通の行動・思考様式を身につけ、規格化されていれば、社会の秩序は安定するだろう。近代学校教育においておこなわれていることは、まさにこうして秩序を生成維持することなのである。

一方、「生の権力」と「死の権力」との相違もいくつか明らかになる。「死の権力」において、為政者は式典その他の中央に位置し、たえずその存在を顕示し、周知される透明な存在であり、一方、一般のひとびとは、なんらかの公的機関に登録されることもなく、各自がてんでばらばらに言葉遣いや技能を身につけながら暮らしている匿名の、不透明な存在であった。

それにたいして、「生の権力」においては、逆に、各成員が登録され、透明化される。各自は、生の権力においては、個別的存在として認知されたうえで、規格化という、当人の外部からの制御をこうむるのである。【図9】

ここで当然、疑問が生じる。それでは、死の権力においては透明な存在であった為政者にあたる存在は、生の権力においてはどのようなあり方をしているのかが気になるだろう。だが、この問題に触れる前に、もう少し生の権力の構造を明らかにしておく必要がある。

図９　生の権力

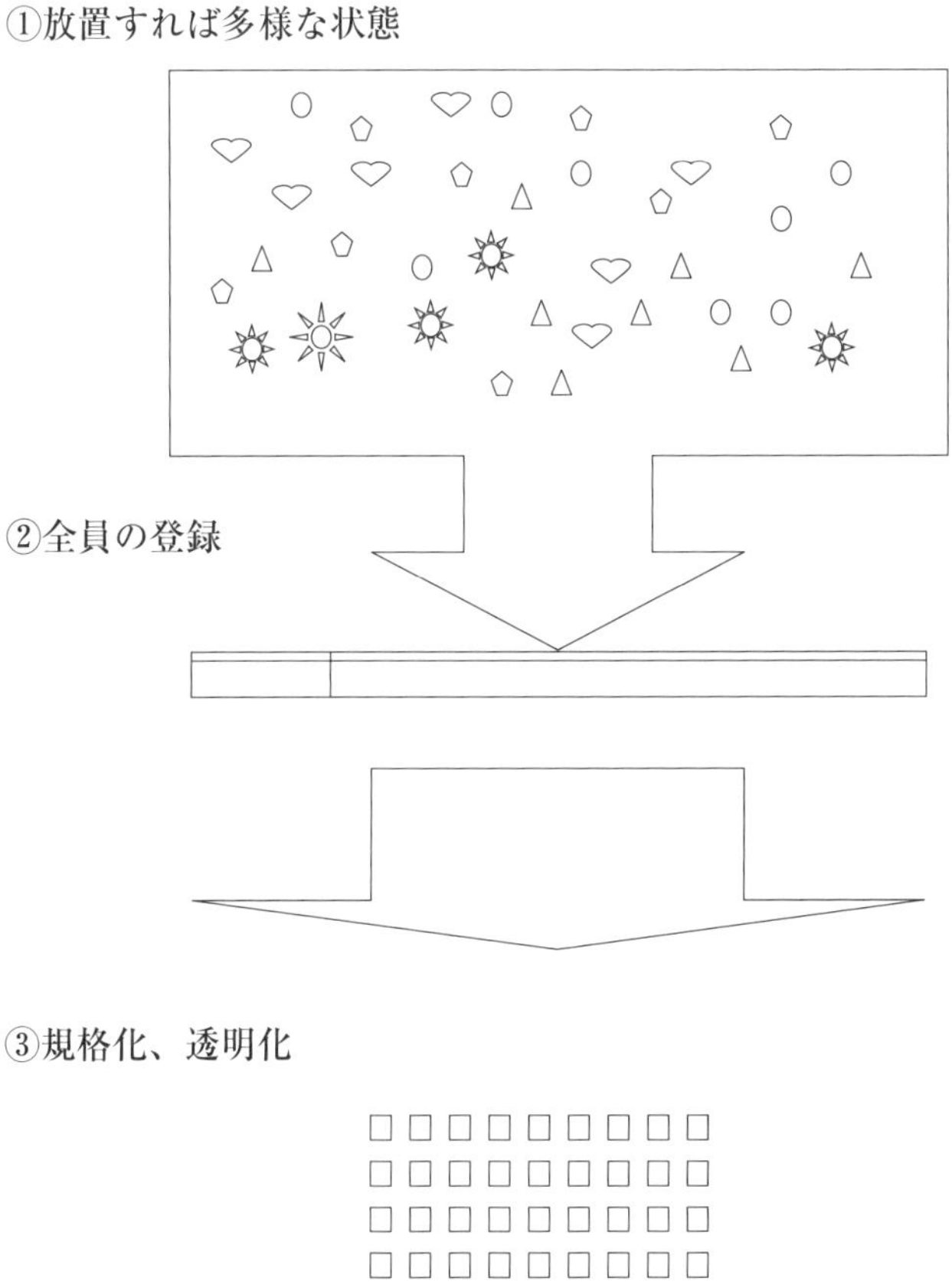
①放置すれば多様な状態
②全員の登録
③規格化、透明化

3　規律

「死の権力」においてひとびとが、その行為を縛る法令にしたがうのは、死の恐怖ゆえのことであった。それでは、生の権力において、ひとびとはなぜ外部からの制御を甘んじて受けるのだろう。ここにはふたつの回路がある。

(1)　管理・監視

ひとつはフーコーが、イギリスの政治思想家ジェレミー・ベンサムの考案した監獄の設計、「パノプティコン(一望監視施設)」をモデルにして明らかにしようとしたヴィジョンである。

パノプティコンとは囚人を監禁する監獄の設計方法だ。通常、われわれが映画などで見る監獄においては、中央を看守のとおる通路とし、その左右に独房が並ぶという平面プランになっている。それにたいしてベンサムはいわばドーナッツ型の平面プランを提案した。

すなわち、独房を円状に配置し、中心に向かった内側は一面鉄格子とする。ドーナツ状になった独房群は一階から二階、三階といくらでも高く積み重ねることができるだろう。独房群の内側は中空になる。中庭のようになったその中央には監視塔をたてる。監視塔のなかには螺旋《らせん》階段があり、監視員はそれを上下することにより、三六〇度に配置された独房を中央にいながらにして見渡すことができる。【図10】

肝心なのは、この監視塔の壁にあけられた監視窓はきわめて細いスリット状になっていることだ。そのため、内側から監視員が独房をはっきり見ることはできるが、独房の方からは監視塔の中がはっきりうかがえない。独房にいる囚人たちは、影の加減などによって監視塔に誰か監視員がいることは時折、察することができても、その行動をいちいち観察するわけにはいかないのだ。

こうして、囚人にとってはきわめて居心地の悪い状況が生まれる。すなわち、かれらにしてみれば、自分たちが監視されていることはわかっているが、いつ監視員の目が自分におよぶかはわからない。けれども、いつ監視員の目が自分におよんでもおかしくないことはわかるのである。

このような状況で囚人はどうすればいいのか。食事や就寝時間、さらには脱獄の企てな

図 10　パノプティコン（平面図）

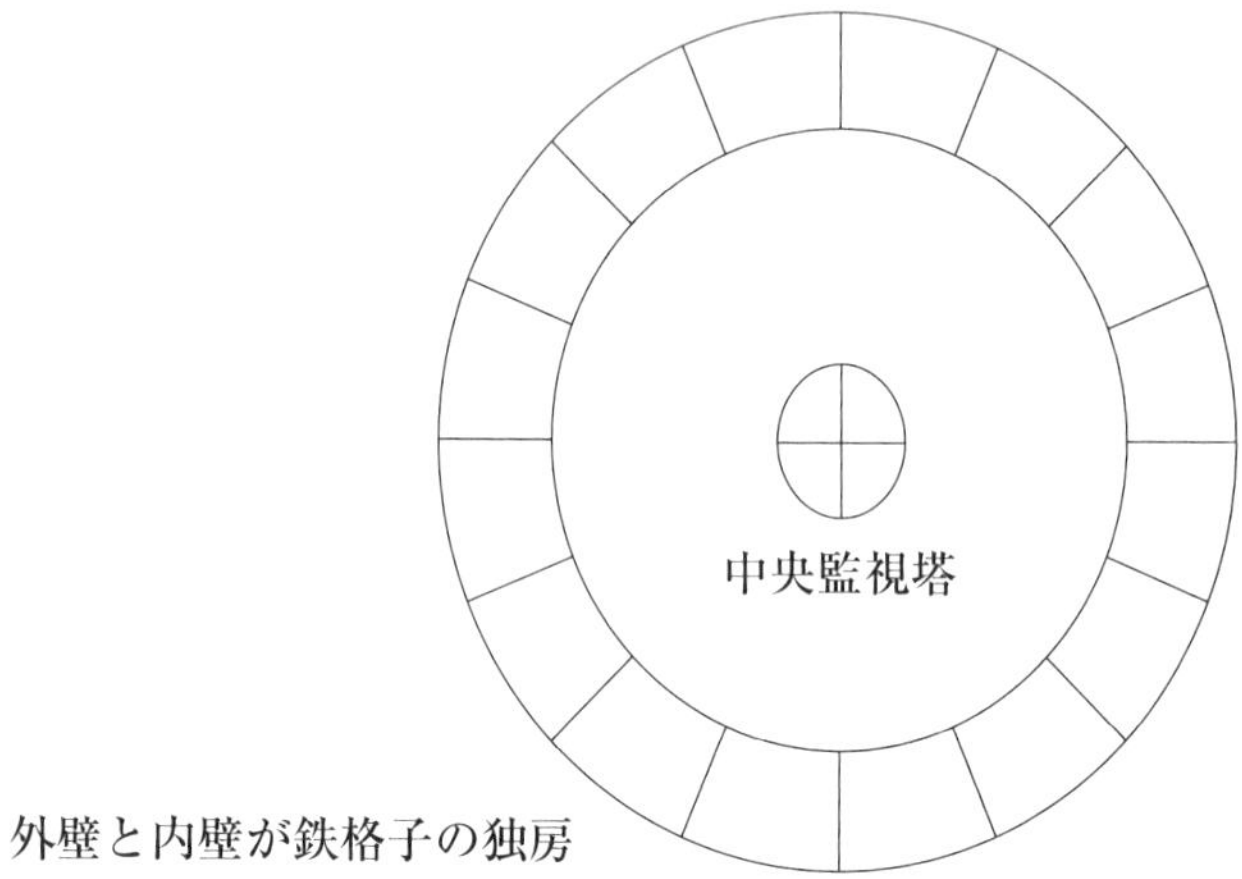

ど、監獄には囚人の行動にかんする規定や禁止が無数にある。それを守っているかどうかを見張るのが監視員の役割だ。それを破っているところが見つかれば、禁固刑よりもさらに思い刑罰が科せられる。だが、もし監視員が見ていないとわかれば、囚人はいくらでもその規定や禁令を犯すだろう。ところが、いま囚人がおかれているのは、いつ見られるかわからないが、いつ見られてもおかしくない状況である。そのような状況下でできる唯一のこと、それは、いつ見られても困らないようにふるまうことである。すなわち囚人としては、規則をけっして破らないようにしているしかない。こうして、自分にとっては好ましくない規則に、囚人は自ら従うことになる。本人の意に反して、本人の行為を制御する規範が、こうして「内面化」され、当人が自ら従うようになったものをフーコーは「規律」とよぶ。規律とは内面化された規範だ。これが生の権力における規律化のメカニズムの縮図である。

（2）「よく生きること」

監獄の場合も、あるいは学校、軍隊、工場などにおいても、各自は、当初自分の外部から与えられた行動や思考にかんする規範を、拒否したり無視したりするよりも、それに従い、それを内面的「規範」とした方がよりよく生きることができる。監獄の決まりを守る囚人は模範囚として刑期を短縮してもらえるかもしれない。学校で校則を守り、教科内容をよりよく理解した生徒は優等生として大事にされ、進学や就職において圧倒的に有利だ。工場など職場でも同様である。そうしたひとびとは仕事や結婚などでも「よい人生」をおくることができるだろう。一方、それを拒んだり、こなすことができなかったりする者は、進学、就職、結婚などにおいて「標準的」な水準に達することができないまま一生を送ることになる。

こうして、生の権力にひとびとがしたがうもう一つの回路が起動する。すなわち、生の権力には素直にしたがった方が「よい人生」を送ることができるのである。とすれば、ひとびとはむしろすすんでそれにしたがうことになる。

だが、近世から近代への移行期において、生の権力のメカニズムが最初に機能的にはたらいたのは監獄においてのことであった。学校教育や軍隊は、そのメカニズムをいわば監獄外において取り入れたにすぎない。近代社会が、ある時期から内戦やクーデターのない、内部的には安定した社会になったのは、もともと「塀の中」にしかなかった監獄のメカニズムが、「塀の外」の社会全体に拡散し、社会全体がそのメカニズムに覆われたからにほかならない。それはいわば監獄の普遍化、遍在化である。

（3）〈主体〉という虚構

もしそれが正しいとすれば、近代の歴史については大いに見直しが必要となる。なぜなら生の権力のまっただ中で形成され、構築されたのは、近代社会の担い手といわれる近代的「主体」だからだ。

アメリカ合州国独立戦争やフランス革命以来、近代社会の主人公は、自由で主体的な市民であるとされてきた。主として中産階級（「中流」）からなるかれらは、自由な意志をもって社会的地位や財産を手に入れ、政治に参加し、民主的な社会を作ってきたし、それはそれ以前の王政などの封建的で不自由なあり方とはまったく異なる豊かで明るい社会だ、と考えられていたし、今でもそう考えている人は多い。

それを哲学者も後押しした。ヨーロッパにおいて民主的な国家観をはじめて完成したのは、イギリスの哲学者ジョン・ロック（一六三二―一七〇四）とされているが、ロックは、各自がもともと所有権をもち、他人に危害を加えないかぎりで自由に振る舞える存在、すなわち自由な「人格」であると考えていた。すなわち、ロックによればわれわれはもともと身体を所有し、したがって、生命、自由、生産手段、生産物などについても所有権を持っており、これをロックは「自然権」とよぶ。また、他人の生命、自由、財産にかんする所有権を侵害すべきでないことは、理性の法である「自然法」によって各自がわきまえている。したがって逆に、自分の考えで行動し、財産と身柄を自由に処理し、それを侵害する相手に抵抗し、処罰する権利が存する。また、自分の財産と身柄を保存する以上に尊い目的に捧げられる場合を除いては、他人の生命・健康・自由・財産に損傷を加えてはならないということも自然法には含まれる。

カントにとってもまた、各自は「理性的な人格」であった。すなわち、各自は自分が何をおこなうのかを自分で考え、選択しなければならない。その結果について不都合が生じた場合には、その責任をとらなければならないが、それはひとえにその行為が、当人の選択の帰結だからである。

ロックにしてもカントにしても、人間は誰でも自由に考え、選択し、行為する主体、自由で理性的な人格であると考えていた。人間は、自由に選択して行為し、それゆえだれでも「自分だけが自分の主人」であり、他の誰かが自分の主人であることはありえない、というわけである。

だが、それはとんでもない錯覚だ、とフーコーは言ったのである。自由な主体と言われていたものは、じつは近代における学校教育や工場その他で機能していた「生の権力」の規律化のメカニズムによって構築された存在にすぎない。主体といわれていたものは、ひとびとを規格化する力に従う存在である。

フランス語などヨーロッパ語において主体を意味する語（「Sujet」）は、もともとなにかに「したがう」という意味をもっていた。近世においてこの語は国王の「臣下」を表したのである。近代においてひとびとはあたかも自分たちが主体、すなわち「大文字のSujet」であるかのように勘違いしていた。実際に彼らは、生の権力の規範化にしたがう存在、すなわち「小文字のsujet（臣従体）」でしかなかった、とフーコーは言うのである。こうしてフーコーは、西洋において基本的価値であった「主体」の価値を奪ったことになる。

「主体」は、学校教育、軍隊、企業などにおいて、規範として外部から与えられたものを内面化するなかで構築されるが、その際、「各人は自由な主体であり、諸技能を身につけることによって一人前になる」といったエトスも同時に内面化される。その結果、規格品としての主体が大量生産されるのである。

フーコーが描いたこのメカニズムは、フロイトの考える自我の構造とも通じるものがある。先にも少し触れたように、フロイトは各自の自我が幼少期における両親との関係において形成されると考えた。そのメカニズムをフロイトは「エディプス・コンプレックス（オイディプス・コンプレックス）」とよぶ。すなわち、男の幼児は当初、母親と自分との関係こそが全宇宙であると感じ、そのなかで母親を自分で独占したいと欲望する。ところがそれはうまくいかない。母親は同時に父親の妻でもあり、母親の欲望は幼児だけではなく父親にも向いているからだ。しかも父親は幼児にとっては抵抗不可能なほど強力な存在である。そこで幼児としてはその状態を受け入れ、両親にとっての「いい子」という自分のあり方を受け入れるしかない。その際、母親を独占したいという欲動は、なかったものとして自分の奥深くにしまい込まれ、「抑圧」される。一方、父親に象徴される家庭の掟や、やがて社会の掟を子供は受け入れ、それを守ることによって「いい子」という自分のあり方を作ってゆく。このとき受け入れられ、内面化され、その後の子供の考えや行為、欲望などを制御するものが、フロイトの言う「超自我」だ。子供が成長するにしたがって、欲動はさまざまに形を変えて噴出し、場合によっては反社会的なこともおこなおうとする衝動となるが、超自我のコントロールのもと、自我は欲動の暴走を抑え、社会人として生きてゆくことになる。

フロイトの描いた自我の構造化過程において超自我と言われているものに、フーコーの場合にあたるのが、内面化、規律化された規範である。いずれにしてもそれは、もともと外部にあった規範が、まるでトロイの木馬のようにいつの間にかひとびとの内部に場所をしめ、行為や思考、欲望を制御する。

その経路が、フロイトの場合にはもっぱら家族と考えられていたのにたいして、フーコーにおいてはより広く社会全体とされる。とはいえ、ここで逆の疑問も生じるかもしれない。フーコーの権力論において問題になっていたのは、学校、工場（企業）、軍隊、監獄という、いわば公的な空間であった。だがひとは公的空間においてのみ生きているわけではない。学校や工場の門を一度くぐって外に出れば、そこは右に述べたような生の権力はおよばない領域である。道路や鉄道駅、レストラン、商店、遊戯施設、さらに家庭などがそこにはある。こうした場においては、だれでも生の権力から自由なのではないか、と思われるかもしれない。

ところが、フーコーが『性の歴史I』で示したのは、こうした公的空間の外部にあり、しかももっとも私的な空間である家庭、すなわち夫婦の寝室においても生の権力は機能しているという事態であった。

第四章

「私空間」の編成――『性の歴史Ⅰ』

一八六七年のある日、フランスのある農村にいたひとりの労務者が告発された。かれは、いわゆる「知的に障害のある人物」であり、正業についたり家庭を持ったりすることはなかったが、村人からは邪険にされるわけではなく、半端仕事をもらったりして暮らしていた。かれは、畑のわきで少女にちょっと愛撫してもらったという廉《かど》で、娘の親たちによって告発され、憲兵によって裁判所に送られ、医師や鑑定人に検査され、死ぬまで病院に閉じこめられることになったのである。この村では、子どもたちが集団で「固まりミルク」という集団自慰行為をするのは普通であった。にもかかわらず、かれだけは拘禁され、病人として医師たちの好奇心の対象となる。

この事件がおこった一九世紀は「ヴィクトリア朝時代」と言われる。ヴィクトリア女王

（一八一九―一九〇一、在位一八三七―一九〇一）治下のイギリスは、産業革命の進展や海外植民地の獲得などをつうじて「大英帝国」の絶頂期をむかえていた。中産階級の成熟とともに、市民道徳も濫觴期《らんしょうき》をむかえ、とりわけ性道徳の厳格さが、その他方にある、労働者の搾取や児童労働、売春の蔓延《まんえん》などを覆い隠していた時代でもあった。このころの性道徳の過激さに関しては、多くの逸話があり、たとえば当時のブルジョワ家庭では椅子やテーブルの脚にまで覆いがかぶせられていたという。婦女子が脚を見せるのが不作法であるならば、家具の脚も隠さなければならないというわけだ。それゆえ、一九世紀の西欧では、人前で性にかんする事柄について語ることは、最大のタブーとされていた。性にかんする言表は社会から追放された、そのような時代であると考えられていたのである。

　ところが、この時代ほど性にかんする言説が氾濫した時代はなかったとフーコーは言う。たしかに、宴会や家庭内、一般市民の目に触れるところでは性について語ることがタブーであったかもしれない。だが、それ以外のところでは話が違った。精神医学、教育学、人口学、性医学といった分野である。

　こうした「学問」において登場したさまざまな〈真理〉は、〈制度〉と結びついてひとびとの私的生活に介入し、その行為を一定の方向へと導いていく。私的空間におけるこうした権力のあり方を解明したのが『性の歴史Ⅰ』である。

（1）　性をめぐる言説

たとえば精神医学においては、性的異常者の観念が登場する。「性的非行者」というのは、通常の市民と犯罪者との中間地帯に、いわば犯罪予備軍として、この時代、あらたに登場した概念である。「露出狂、フェチシスト、動物愛好症、自己・単独性欲症、視姦愛好者、女性化症、老人愛好症」などの異常性欲者（「変態」）である。こうした嗜好をもつものは古来、存在しただろう。けれども、一九世紀になって突然、こうした性行動にかんして、それを名指す概念が登場し、しかも「性的異常者」という烙印《らくいん》がおされてしまう。

いったんこうした観念が、精神医学という学問の名における「真理」として登場すると、それを「取り締まる」ための法が制定される。これは民法や刑法、行政法などにかかわる法学者の仕事である。さらに、それを実効あるものとするために、全国の「異常者」を発見し、連行し、診断し、審判し、監禁、治療するスタッフが養成される。それは現場の取締官、診断する医師、監禁を決定する行政官、さらに医療スタッフや監視員までふくむ膨大な数にのぼるだろう。そのひとつひとつに対応する施設も必要だ。こうして、異常者に国家、社会として対応する「制度」が整えられる。その結果、山村の無害な「与太郎」が拘禁されることになる。それは一個人にたいする明白な権力の行使、「支配」である。

こうした「真理」「制度」「支配」の三点セットをフーコーは「言説（discours）」とよぶ。言説という言い方は、もっぱら文字や音声による言語活動を思わせる。実際、精神医学や法、現場の行政を組織するための省令などは、とりあえず文書や書物としてしか存在しない。けれども、過去になにがあったかを調査する過程において最初の手がかりとなる文書など言語史料が、言語という閉鎖的次元で完結するものではなく、国家規模での制度や、そのつどの実在する個人への支配という「実定的（positive）」機能をもつ権力そのものであること、それを見て取ることが重要だとフーコーは考えるのである。

（2） 学校、ヒステリー、性科学

一九世紀には、それ以外の場面でも同種のことがおこった。

当時のブルジョワ家庭の子女は、私立の中学校、高等学校などに通ったが、生徒を集めるための「売り」として「性教育の充実」を謳う高校があった。その高校では、性教育が授業カリキュラムに盛り込まれ、卒業式など学校の式典では招かれた父兄を前に、優等をとった生徒が性教育の内容を暗唱してみせる。この高校は全寮制だが、寮の寝室に並んだベッドにおいて、生徒は両手を毛布の上に出して眠らなければならず、また、寝室の廊下側の壁は腰の高さから上が素通しになっていた。いずれも、「思春期」の男子が、余計な精力を浪費して、将来の健康な夫婦生活の支障を来さないための配慮であった。自慰を害毒、悪徳とする考えは、当然、あらかじめ性教育の時間にたたき込まれている。こうした現象の背後には、教育学における「真理」、それに即した学校組織という「制度」、そして生徒一人一人への観念的、物理的介入という「支配」の三点セットがある。

また、「女性のヒステリー」という言い方が流布したのもこの頃である。突然、強度の興奮状態におちいり、人格的同一性が保たれなくなったり、場合によって、気絶や運動失調など、身体に発現したりする症状は、このころ、ひとまとめにして「ヒステリー」とよばれ、しかも、女性に特有の疾患と考えられた。なお、現在では「ヒステリー」という言葉は精神医学では用いられず、「解離性障害」「身体表現性障害」などに分類される。また、それが「女性特有」のものというのも誤りであることが広く認められている。だが、一九世紀においてそれは、「子宮に原因をもつ」女性、しかも適齢期をすぎても未婚の女性固有の疾患とされた。すなわち、「ヒステリー」とは、性の欲動、エネルギーがあまりにも過剰に子宮に蓄積されるために生じる心身の不調と考えられたのである。これは精神医学の「真理」を中心とした言説だ。

さらにまた、「正常な」夫婦にも言説の介入はおよぶ。健康な妊娠、出産がおこなわれるためには、どのような時期に、どのような「体位」で性行為をおこなわなければならないかを事細かに指導する「性科学」による介入である(『ハウ・トゥー・セックス』)。

こうした一連の現象において、結局なにが起こっているのだろう。性的異常者は、正常な婚姻ができない存在であり、「ヒステリー」の女性は婚姻を逸し、もしくは逸しかけた存在だ。また、高校生の男女は、これから婚姻をむすぶ予備軍である。一連の言説は、婚姻不可能なものを排除し、あるいはそのような烙印を掲げることによって予防し、そして、その妨げになる要因を取り除く。こうして大多数のひとびとがたどりついた健康な婚姻に、性科学が最後の仕上げをおこなう。こうした一切は、ひとびとが健康な夫婦生活を実現し、健康な子孫を残すように全体を調整する回路にほかならない。一連の現象の「目的」は、ブルジョワ階級の拡大再生産にある。

『監獄の誕生』において問題となったのは、学校、工場、軍隊など公的空間において機能する生の権力であった。家庭をはじめとする私的空間に、その力はなるほどおよばない。けれども、時代を下って一九世紀にいたるや、生の権力は家庭、それも夫婦の寝室という「秘め事」の場所、もっともプライベートな場所にまで介入する。性的非行者や青少年などの場合であっても、それがもっとも他人の目から隠しておきたい秘め事であることに変わりはない。しかも、性科学が夫婦の寝室に介入したとき、「生の悦び」や健康な出産を望む夫婦はよろこんでその介入にしたがうだろう。かれらは、性科学や人口学における「真理」という名の下に、性行為や出産の管理などをおこなう。性にかんする真理が、学問や行政などの制度と結びついて言説となり、それがひとびとの行動を規制し、「規格化」する。一九世紀においては西欧のブルジョワ階級において機能していた性の言説は、二〇世紀にはいると、「衛生思想」「産児制限（バース・コントロール）」などといった回路をつうじて、労働者階級の私生活にまで浸透する。こうして、生の権力は、公的空間だけではなく、私的空間にもその力を及ぼすのである。

（3）〈性〉という虚構

だが、これは決して、十分根拠づけられた真理にもとづく過程ではない。一連の言説にはひとつ前提されていたものがある。性的異常者においてなにが異常かというと、「本来」であれば成人異性にむかうはずの「性の欲動」が、それ以外の対象へと逸脱していることである。青少年の「性の欲望」は過剰であり、空転しているため、それは抑圧制御しなければならない。適齢期を過ぎた未婚女性においては、子宮に蓄積された「性のエネルギー」が誤動作をおこしている。最後に、健康な夫婦生活のためには「性の欲望」を適切に管理しなければならない。一連の言説で前提されているものとは、「性」というものである。それは、ひとびとの行動や具体的な欲望、嗜好、心身の不調などといった経験的に観察可能であったり、検証可能であったりするものとは異なり、そういった一切を、その逸脱や誤動作、過剰などによって生み出す原因となる、なにか不可視の「実体」として想定されている。ところが、性医学や精神医学、性科学、教育学において、この「性」なるものが何なのかは一度も明らかにされたことはない。というよりも、だれにも説明できるはずがないのである。なぜなら、「性」とは、一連の言説において、その言説に含まれる一切の言表が可能であるために要請され、仮想されはするけれども、一度もその具体的内実が検証されたことはない虚構だからだ。【図11】

「性」は、凹レンズや凸面鏡の「虚焦点」に似ている。凸レンズや凹面鏡にあたった光は、屈折、反射によって一点に収斂《しゅうれん》し、その点を「焦点」とよぶ。この場合は、実際に光が収斂し、高熱が発生する特別な点が現実に存在する。ところが、凹レンズや凸面鏡をへた光は拡散していくばかりである。拡散していく光を逆にたどれば、ある一点がえられ、あたかも光がその一点から発しているかのように見える。これが虚焦点である。だが、すべての光がそこから発する点は実際には存在せず、虚焦点とは、光の方向から作図された架空の点にすぎない。「性」も同じようなものだ。「性的異常」や「ヒステリー」「過剰な性欲」などといった具体的な現象はたしかに存在する。それが、共通の原因によって生じるという仮説のもとに、実際に発生した諸現象の矢印を逆にたどったところに想定された虚の原因、それが「性」なのである。

そこからある皮肉な事態が生じた、とフーコーは言う。性について語られることは一九世紀に終わったわけではなく、それは一九六〇年代の「キンゼイ・レポート」にいたるま

図 11　生政治

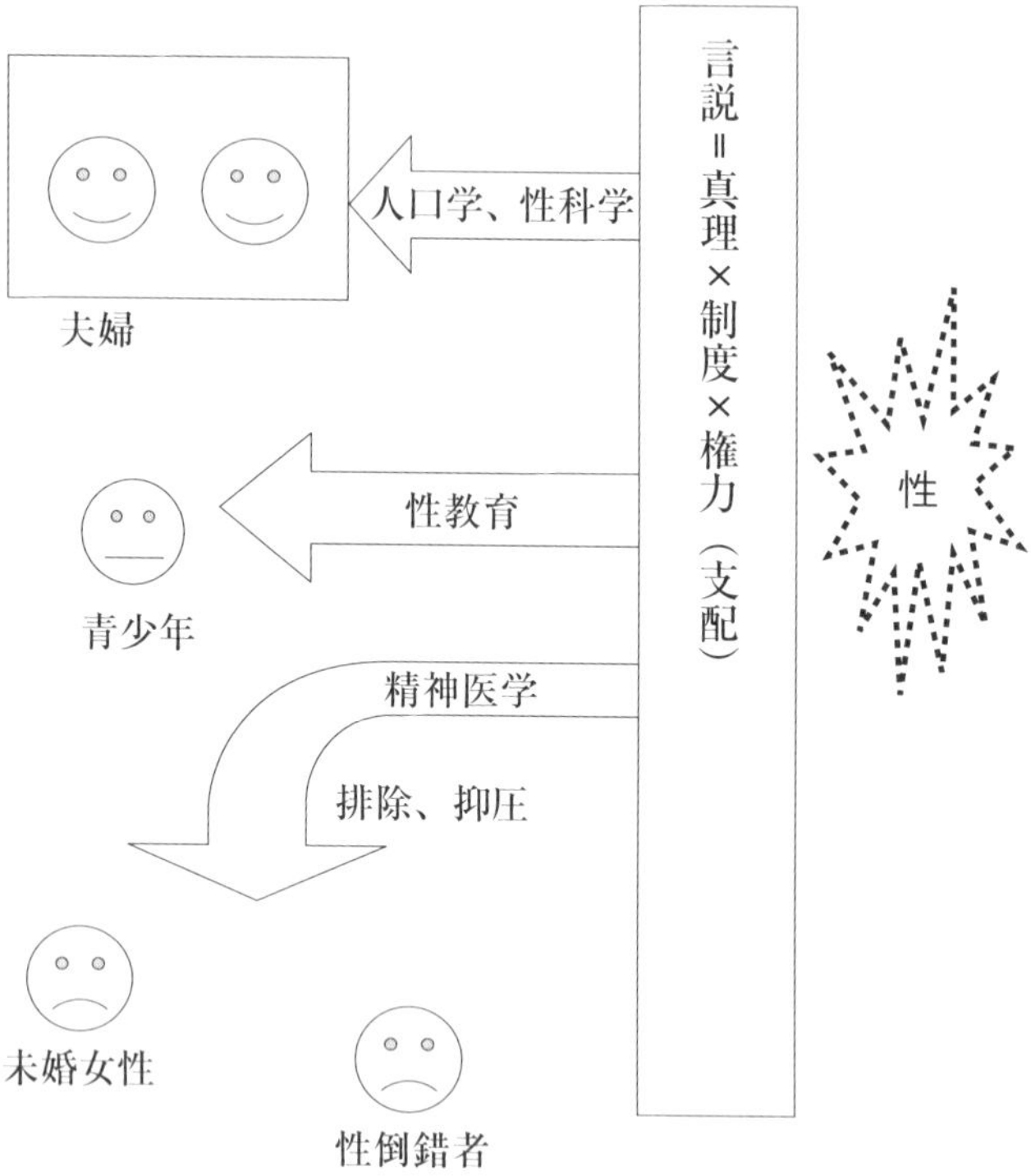
言説＝真理×制度×権力（支配）
人口学、性科学
夫婦
性教育
青少年
精神医学
排除、抑圧
未婚女性
性倒錯者
性

で続く。それどころか、一九世紀末のドイツなどにおける「裸体運動」「モダンダンス」などに端を発し、一九六〇年代のアメリカ合州国におけるヒッピーやフリーセックス運動にいたるまで繰り返される、性解放運動においては、一九世紀後半以来顕著になった近代システムやその権威から「人間」を解放するためには「性」を解放することが必要だと謳《うた》われた。ところが、というわけである。性解放によって近代システム、すなわちフーコーの言う一九世紀の言説から自分たちを解放することを企てた運動家たちが前提しているもの、それは、まさに一九世紀の言説が生み出した「性」という虚構にほかならない。かれらは、自分たちが否定しようとしている当のものが生みだしたものによって自分たちを解放しようとしているのである。

『性の歴史I』においては私的生が問題になるが、その際、各人の嗜好が公認され、もしくは（「性倒錯者」「ヒステリー」「自慰行為」のように）否認・排除される際に機能する学問的言表や行政・教育などの制度のはたらきを「正当化する」仕掛けとして、〈性〉という実体が想定される。『言葉と物』における〈生命〉〈人間〉などとおなじく、〈性〉の内実も語られることはなく、ただ、それがなければ一切の言説が成立しないために決してその存在が疑われることはなく、そればかりか、人間性回復のための手がかりとすら信奉され、物神化されるのである。

第五章　生政治と自己への配慮——抵抗の拠点？

『狂気の歴史』『言葉と物』『監獄の誕生』『性の歴史Ⅰ』というそれぞれの書物において、扱われている内容はそれぞれ大きく異なるし、また、それぞれにおいて取り出されている事柄も一様ではなかった。

（1）フーコーの軌跡

『狂気の歴史』において明らかにされたのは、ヨーロッパ世界において古来、重視されていたと思われていた「理性」が「理性」として確立したのが、意外にも一七世紀のデカルトの時代においてのことであったという事実である。それも、少しでも問題のある者たちを「非理性」として監禁し、それとは対立する者として自分たちをとらえることによって、「非理性ではないもの」としての「理性」が確立されたのであった。その根底には、理性が理性たりうる根拠がじつは存在せず、しかも、自分がいつ理性から逸脱してしまうかわからないという、やがてカントにおいてはっきり自覚される、人間理性にとっての根本的な不安があった。

その「理性」の実質についてより詳細に分析されたのが『言葉と物』であった。そこではヨーロッパの諸学問が、一見、きわめて合理的な主体による知的、理性的営みであるかのように見えながら、じつはその時代ごとにひとびとの思考や感情、感覚、知覚を制約するエピステーメによって可能となり、また限界づけられていたという事態が明らかになる。著名な科学者たちは、いわばエピステーメという腹話術師がもつ人形にすぎないのであった。それどころか、「生命」「人間」「歴史」といった、現代のわれわれにとっても基本的な価値に相当するものが、じつは一九世紀のエピステーメによって、その理論構築の都合から生み出されたものにすぎないことも、同時に明らかになった。

『言葉と物』において扱われている内容は、たしかに一見、衝撃的ではあるが、しかし、学問の世界という狭い場所での出来事とも言える。だが、学問的主体性の虚構性という

『言葉と物』における事態に相当することは日常世界においてもおこっている。そのことを明らかにしたのが『監獄の誕生』と『性の歴史I』だった。

学校や軍隊などは、身体所作や生活習慣、知識や思考方法などにかんするきめの細かい網の目をかけることによって、全国民を規格化する装置であった。そこで規則として与えられたものをひとびとは進んで身につけ規律化する。そのようにして機能するのが近代社会における生の権力だった。

一方、家庭やその他の場所においても、特定の性嗜好や性行動から外れるものは「異常者」「ヒステリー」とよばれて排除され、また、「子供の性」が抑圧される。このようにして国民の人口の管理がなされたのであった。それをフーコーは「生政治」とよんだのである。

こうして、公私両面において、ひとびとの行動、思考、知覚、欲望、嗜好は規格化されてゆく。一九世紀において「性」をめぐってなされた私的空間への介入は、今日、その網の目をより精緻にしているとさえ言える。テレビや雑誌、新聞その他のマスコミによる衣食住の嗜好の誘導、医療保険と連動した「人間ドック」による身体への介入なども、また、ひとびとの私的空間を規格化する権力だからだ。

（2）　抵抗の主体？

こうした状況にあって、「権力」から脱出する手だて、それに抵抗する方途はあるのだろうかと問いたくなるのは当然である。『監獄の誕生』において描かれた社会のあり方は「管理社会」「監視社会」論において非難の的になる、街中いたるところに監視カメラが仕掛けられ、ひとびとが相互監視をしてしまう社会とたいして変わらないのである。

だが、うっかり「脱出」「抵抗」という言い方をすることもできない。ここで、フーコーのやってきたことが、一方では、社会や歴史といった大規模な構造の分析であったものの、他方では、つねにそこに巻き込まれる主体のあり方にかれのまなざしがおよんでいたことに注意しなければならない。『狂気の歴史』『言葉と物』において問われていたのは理性のあり方であり、『監獄の誕生』『性の歴史Ｉ』で問題になっていたのは近代的主体であった。理性的主体が、それ自体のうちに原因をもつ自由な存在であるという近代哲学のプロパガンダとは裏腹に、理性や主体がエピステーメや権力において構築されたものであることを明らかにしたのがフーコーの分析なのである。それは、それぞれの著作で扱われていたリンネやキュヴィエ、フロイトといったひとびとにあてはまるだけではなく、フーコー自身、そして、それを読んでいる読者自身にも当てはまる事柄だ。一般にひとびとが「理性」あるいは「(小文字の)主体」として構築されているのなら、フーコー自身、読者自身もまた、そのように構築されている。主体を構築するのは権力なのだから、フーコーも読者もまた、権力に貫かれている。

かりに、こうした生の権力や生政治に「抵抗」を試みたとしても、性解放運動家に見られるように、あるいは一般に、「抵抗」は権力関係の一項としてはじめから組み込まれており、「抵抗」すること自体が権力関係を逆に強化し、確認することにしか終わらない。権力に「抵抗」しようとしても、そのように試みている主体そのものが権力のなかで作られたものであり、権力に貫かれているからだ。抵抗しようとしたり、その必要を訴えたりすること自体、権力によって設定された回路なのである。生-権力や言説の外部は存在しないのである。

ひとは疑問に思うかもしれない。「不登校」によって〈規律化〉を逃れれば、生の権力から逃れられるのではないかと。だが、それはそもそも現代社会において生きること自体を拒むこと、より正確に言えば、現代社会における生から拒まれることでしかない。古い権力が「死なせるか生きるままにしておく」というものであったのにたいして、「生きさせるか死の中へと廃棄するか」という権力として登場したのが近代だとフーコーは言う(『性の歴史Ⅰ』一七五頁)。〈規律化〉されて生きようとしない者は「死の中へと廃棄される」のである。

(3) 人口の政治学

生政治は、二〇世紀の後半にいたってさらに変質する。スイスやオランダ、アメリカ合州国では、一部で麻薬が合法化されている。スイスの首都ベルンの公園では市の職員が中毒患者に麻薬を配布しているのだ。それは、ひとつには麻薬を打つための注射針からHIV感染が広がるのを防ぐためであり、もうひとつには、麻薬を無料、もしくは安価で配布することによってブラックマーケットを根絶するためである。ここでは麻薬を禁止することによって、価格が高騰し、結局、組織暴力団の資金源になるよりは、麻薬を公認にすることによってこうした資金源をたつことの方が、国民全体にとっては利益になるという判断がある。だが、このとき、すでに麻薬中毒患者になったひとびとの生涯は国家によって廃棄処分されているのである。ここでは、もはや国民を個人単位で登録してそれを管理するのではなく、国民をマス単位の人口としてとらえて全体の利益を最大化するという方策がとられている。

一方、生政治のもう一つの形態は福祉国家である。医療保険や国民年金は、病人や老人の生を国家が負担する制度である。だが、裏を返せば、国家という生命維持装置がなければひとびとは生存しえず、あるいは、出産という形で、あらたな生をもたらすこともできない状態であるとも言える。

その全体像を一目でわかるように描いたのが、映画『マトリックス』の世界だ。そこで、ひとびとは自由に豊かな生活を楽しんでいるかに見える。だがその実態は、目に見えないところにある巨大なカプセルの栄養液に浸かり、チューブで呼吸している胎児にすぎない。そのころの地球は、高性能コンピュータによって支配されているのだった。ただし、その機械は人間を糧としなければ存続しえない。そのため「仕方なしに」人類の生存がはかられている。ところで、胎児もやはり人間なので、ただ生命を維持されているだけでは生きていけない。かれらが退屈しないよう、自分が楽しく暮らしているかのように夢をかれらは見せられている。それが、現実のこの世界だというわけである。

福祉国家とは、国家による国民の健康と生命を保証する仕組みとして、各個人にとってはまことにありがたいシステムであるかのように語られる。だがそれは、それぞれ独立して生きているとされる各個人が、福祉国家というシステムなしには、そもそもその生存さえできなくなる仕組みなのである。このようなシステムにおいて、各個人、各市民は「自由な主体」であると喧伝することは矛盾でしかない。まして、このような状況で、国家による保護や支援を訴えることが正当な要求だと信じ、そのように行動する人は、国家機械がひとびとに信じ込ませようとしている夢を強化するだけの存在、国家機械にとってはまことに都合の良い存在なのである。

（4） 自己への配慮

晩年のフーコーは、にもかかわらず、こうした〈権力〉の外部への道を探ろうとしていた。「生存の美学」「自己への配慮」などの言い方で示唆される方向だ。

フーコーは、〈自己〉への関係をふたつの系列に区別する。「自己についての知」と「自己への配慮」だ。

自己についての知（「自己知」）は、ソクラテス以来、哲学にはなじみ深いものだ。「汝自身を知れ」というデルフォイ神殿入り口に書かれていた句はソクラテスの活動を特徴づけるものでもあった。自分自身の考えがいかに整合性を欠いているかを知るのが、ソクラテスの言う「無知の知」だったのである。自己知のこうしたあり方は、時を経て、一七世紀におけるデカルトの「コギト」に通じるだろう。デカルトにおいて、コギトはわたしにとって唯一透明な存在なのである。

一方、中世のヨーロッパで支配的になったキリスト教においては、教会における「告白」「告解」が慣例となる。「告白」とは、キリスト教徒が司祭の前で、自分がどのような「罪」を犯したかをのべ、その赦しをこう儀式である。告白においては、「わたしはかくかくの罪を犯した」と司祭の前で述べる。このとき、自分の行為や感情について述べる主体と、キリスト教やその社会において罪を問われる主体とが、告白の文章の主語において一致する。「わたし」が司法的に構築されるのである。

告白の文体において成立した、自己認識の主体と行為資格の主体との一致は、「統治権」「支配権」「所有権」「処分権」などの主体を「人格」としたロックの構想に連なる。さらにカントにおいては、「経験的自我」と「超越論的自我」が区別されるが、「超越論的自我」とは理性的認識や倫理的行為の規範、原理を自ら決める存在であり、その手続きは立法的な手順がとられた。すなわち、カントが認識の可能性を立証したとき、その立証は、数学的証明としてではなく、当時の裁判における弁論としてなされたのだ。哲学におけるこうした動きに、『監獄の誕生』『性の歴史』における主体の構築や『言葉と物』における人間の誕生が連動する。そして、一九世紀において監獄が普遍化されるとき、自分の欲望や欲求を告白する精神分析が生まれた。

だが、これとは異なる自己への対処法がヨーロッパにはあったとフーコーは言う。古代ギリシャにおいては「少年愛」の習慣があった。これは、現代で言う「同性愛」とは異なり、性愛が主たる目的ではなく、おたがいに相手の気持ちを慮り、相手との関係の取り方や相手の気持ちに応じた距離の取り方を実践的に会得するための通過儀礼であった。そこでは、自分について観照的に認識することが問題だったのではなく、実践のなかで自分の感情や感覚、欲望、行為を制御する術を体得することが問題だった。ソクラテスやデカルトの自己知が自己の認識にかかわるのにたいして、これが行為や実践、対人関係にかかわること、また、宗教的法的権利関係とは異なり、そのつど異なる個人同士の関係のなかで、そのつど異なる関係や距離のあり方がうまれることが重要である。古代ギリシャにおける「少年愛」は、既存の規格とは一切関わりのない仕方で各自が自己を形成するための術だったのである。

古代ローマにおいて、少年愛の習慣は廃れ、恋愛は固定した男女間のものへと縮減された。だが、自分の感情、感覚、行為、欲望を自分で管理する術は、中世を通じて修道院において錬磨された。修道僧にとって最大の敵は異性への欲望であったが、それを抑えるために、異性との接触を避けるだけではなく、その残像や記憶に残っている感覚を、覚醒時だけでなく睡眠中の夢においてまで遮断する訓練がなされた。

修道院の規律をつうじてほそぼそとヨーロッパにうけつがれた自己練磨、修行の技法に、フーコーはふたたび古代ギリシャの自己形成術の精神を吹き込もうとする。修道院や共同体において奨励されるのは、既存の「徳」を身につけることであった。だが、少年愛にみられたのは、そのつど異なる、規格化を外れた自己のあり方を、しかも自分の人間関係と齟齬《そご》をきたすことなく創造することである。それは、生の権力の規格化を抜け出る最後の望みとなるだろう。それをフーコーは「生存の美学」と呼ぶ。ここで「美学」と言うのは、ダンディズムのような「男の美学」を念頭においているのではなく、従来存在しなかった規範をみずから作りあげる点において、芸術作品の創造にも似た自発性をもつあり方だからだ。

（5） フーコーの起爆力

フーコーの著作は、一見すると歴史書であるかのような記述に満ちており、また、そこで扱われているのも学校教育や性など、誰にとっても身近な事柄である。その内容もスタイルも、抽象的な概念の分析に終始する通常の哲学書とはおおいに異なるため、フーコーの仕事は社会史やカルチュラル・スタディーズなどと混同されがちである。外交や戦争、王家の交代など大規模な事件のみに着目する通常の歴史学や、社会全体の大枠を論じる社会学とくらべて、レストランや「遅刻」という観念、読書などの誕生と展開過程に着目する社会史、映画やひとびとの日常行動、サブ・カルチャーなどの文化行動から、文化や社会の基本構造や支配構造を明らかにしようとするカルチュラル・スタディーズは、たしかに、「世の途中から隠されていた」多くの事柄を明らかにする。フーコーの仕事も、そうした側面を持つことに疑いはない。だが、かれがおこなっていたことの眼目は、むしろ「理性」「主体」「生命」「真理」といった、伝統的哲学において自明の前提とされていた概念や構造を根底から覆した点にある。伝統哲学において当たり前のように前提された事柄をくつがえすためには、しかし、概念分析その他、伝統哲学においてとられていた手法を用いることはできない。フーコーがヨーロッパの具体的な歴史を掘り返したのは、伝統哲学とは異なる立脚点を確保するためであった。

一方、フーコーの分析から明らかになるさまざまな事柄は、哲学、あるいはその他の学問の場を離れ、通常の日常生活を送る場面にも深く関わっている。本書冒頭で触れた映画の主人公のように、ひたすら「自由」を求めるひとは現在の社会でもしばしば見られる。性や家族、家庭は、多くの人にとって、欲望や欲求、憧れなどを生み出す母胎だ。現在を生きる者にとってほとんど基本的ともいえる価値や欲望、欲求がどのようにして生まれ、信じられるにいたったかを明らかにしたのがフーコーである。これまで自分が当たり前のように信じていた価値や欲望の生成メカニズムがわかったとき、われわれとしては、自分のなかに蠢《うごめ》き、日々の行為や思考、あるいは嗜好の道筋を定めていたものへの態度を考え直さざるをえない。

フーコーの権力論は、われわれひとりひとりの存在そのものが権力と政治に貫かれていることを明らかにし、それどころか、そうした状況において軽々しく「抵抗」や「脱出」

を口にすること自体、じつは権力の思うつぼであることを暴露した。それは逆に言えば、現実からの脱出不可能と行動の無力を宣言するものにみえる。だが、フーコーはまた、すでに構築された権力がけっして固定した不動のものではないとも述べている。生の権力や生政治は、なにか根拠があって生まれたものではなく、近代社会が形をとるにしたがって偶然生まれたシステムにすぎない。それはとうぜん、さまざまな要素の組み合わせが変われば別なものに変化する。国内の集客力が落ちたスキー場がオーストラリアと結ぶことによって息を吹き返したり、国内で販売量がおちたリンゴが高級果物としてアジア各国に販路を拡大したりするのは、システム変更の第一歩とも言える。そのためにどのような手を打てばいいのか、それを知るためには現実世界における生の権力のメカニズムをはっきりと見据えなければならないのだ。

あとがき

もし「哲学」の本を一生に一冊しか読まないつもりならフーコーを読むのがいい、とつねづね学生には話している。学校や性など、きわめて具体的な事柄をあつかっているくせに、西洋哲学において、まるで当たり前のように前提されていた事柄をことごとくひっくり返し、その結果、われわれがいつの間にか思いこんでいた常識にも風穴を開けるからだ。

本書は、そのフーコーの考えを、できるだけ噛みくだいて述べたものである。

フーコーについては、すでにさまざまな解説書もある。なかでは、檜垣立哉『生と権力の哲学』（ちくま新書）がわかりやすい。フーコー自身の著作、とりわけ『監獄の誕生』『性の歴史』も、哲学の書物としては具体的に書かれている。『狂気の歴史』『言葉と物』をふくめ、いずれも新潮社から和訳がある。

扉写真提供：amanaimages

貫成人（ぬき・しげと）現在、専修大学文学部教授。一九五六年、神奈川県に生まれる。一九八五年、東京大学大学院人文科学研究科博士課程単位取得退学。博士（文学）。現象学をはじめとする現代哲学、歴史理論、舞踊美学を研究。著書に『図解雑学　哲学』（ナツメ社）、『哲学マップ』（ちくま新書）、『哲学ワンダーランド』（ＰＨＰ）、『経験の構造：フッサール現象学の新しい全体像』（勁草書房）がある。

入門・哲学者シリーズ2

フーコー

――主体という夢：生の権力

2007年10月　第１刷発行
2021年５月　第３刷発行

著者　　貫 成人
発行者　辻一三
発行所　株式会社青灯社

東京都新宿区新宿１－４－13
郵便番号160-0022
電話03-5368-6923（編集）
　　03-5368-6550（販売）
URL http://www.seitosha-p.co.jp
振替　00120-8-260856

印刷・製本　モリモト印刷株式会社

ISBN978-4-86228-016-9 C1010

小社ロゴは、田中恭吉「ろうそく」
（和歌山県立近代美術館所蔵）を
もとに、菊地信義氏が作成

「入門・哲学者シリーズ」（＊印は既刊）
全巻著者=貫 成人

＊ ニーチェ　すべてを思い切るために：力への意志

＊ フーコー　主体という夢：生の権力

＊ カント　わたしはなにを望みうるのか：批判哲学

＊ ハイデガー　存在の贈与:存在論

（以下続刊、順不同）

デカルト　絶対確実なもの：コギト

ホッブズ　欲望と国家：リヴァイアサン

スピノザ　すがすがしい従属：永遠の相のもとに

ヘーゲル　近代精神の完成：絶対精神

マルクス　人間の条件：唯物史観

フッサール　生きられた現実：現象学

ウィトゲンシュタイン　意味から自由であること：言語ゲーム

サルトル　わたしである自由：実存主義

メルロ＝ポンティ　世界の手触り：身体的実存

レヴィナス　わたしはいつ脅かされるか：他者の顔

ラカン　自我の構造：構造主義的精神分析

デリダ　西洋哲学という不可能：脱構築

ドゥルーズ　現代社会の深層：生産する欲望

ボードリヤール　作られる欲望：シミュラークル

ネグリ＆ハート　グローバリゼーションとはなにか：帝国